日本語の行間

韓国人による日韓比較論

シンシアリー
SincereLEE

新書版のためのまえがき

もう一年以上も時間が経ち、新書版の追記を書くこととなりました。本書が初めて世に出たのは、新型コロナによる「禍」が始まった直後のことです。先日届いたワクチン接種券を見ていると、マスクが無くて困っていたときのことが、もうずいぶん前のように思えますから、一年は長いのか短いのか、不思議な感覚です。理由はどうであれ、まだこの国に来て四年しか経ってないのに、大事なワクチンの接種券までいただいて、感謝の言葉もございません。

本書の原稿を書いてから、『恥韓の根源』（扶桑社新書）と『「自由な国」日本から見えた「不自由な国」韓国～韓国人による日韓比較論～』（扶桑社）の原稿を書きましたが、その二冊には、併合時代のものなど、結構古い記事の訳を載せました。

その際、妙なことに、昔の記事の文章でありながら、読みやすいという感覚を味わうことができました。それがきっかけで、いろいろ、文章だけでなく会話においても、いろいろ考えてみた内容が、本書の追記となります。

特に「ああ、これは……」と思ったのは、日光の「神橋《しんきょう》」という場所で出会った、ある日本人の方との会話でした。本書のテーマは、結局は「ありがとうございます」に集約されるので、ちょうどいいと思い、本書の追記といたしました。また、新書化にあたり、タイトルも『「高文脈文化」日本の行間』から改題し、『日本語の行間』としました。

どうか、最後のページまでご一緒できれば、と願ってやみません。

はじめに

本書には、一部の文章に、「神国」という言葉が出てきます。辞書を引いてみると、「神国」という単語にはいくつか意味がありますが、本書で言う神国は、単に、「神々が宿る国」という意味になります。ものすごく曖昧《あいまい》で哲学的で難解な表現なのに、「ま、そういう意味だよね」と、ある程度は分かってしまうから、不思議なものです。

外国では、日本の神道（Shintoism）を「宗教でない宗教」だとします。外国人の目には、日本人のほとんどが神道を信じている、その教えを守っているように見えるのに、いざ「うちの宗教は神道です」と言う日本人には会ったことがない、というのです。韓国にも、儒教思想というものがあって、外国から同じことを言われます。「どうみても儒教の教義を守っているのに、自分の宗教を儒教だと言う人はそういない」、と。

朝鮮半島には独自の伝統宗教と呼べるものがありません。既存の民俗信仰が、宗教と呼べるほどの進化を遂げることができなかったからです。朝鮮時代には、儒教が国教となり、それまで国教の役割をしていた仏教も、弾圧されることになります。

朝鮮半島の儒教は性理学（朱子学《しゅし》）の考えが主流となっており、基本的に無神論で、来

世観なども ありません。朝鮮半島の朱子学は、中国のそれより無神論的な考え方がさらに強く、「気（ギ）」が宇宙万物を構成する要素であり、気は決して平等ではないため、宇宙万物は上下関係で出来ているとし、人間もその発現の一つだとします。神など、人間を超越した存在の概念はありません。

この「気」を、ある種の「神」観だと解釈する人もいますが、私はそうは思えません。この「気」自体が崇拝の対象ではなかったし、しかも、宗教の神によく見られる「人格を持った存在」でもなかったからです。朝鮮朱子学では、この気がどう構成されたかによって、人間はもちろん自然に至るまで、すべてが位階秩序の上にある、そして、その世界の秩序を認めて従うことが、「理（リ）」だとします。名分に基づいた社会秩序に沿った生活、言い換えれば身分制度に逆らわない生活こそが、世の「理」であり、すべての人間の道徳だったわけです。神など、邪魔でしかなかったのでしょう。

人間が修行して目指すべきは、この「道徳」を完璧に遂行することであり、そのためには他人に情けをかける必要もなく、国家の法を守る必要もありません。道徳を実行する、すなわち徳を高めるというのは、法律のような強制的なものではないためです。道徳を守ることこそが「徳」を積み上げることであり、そのためには、「良い人」は、常に誰かの手本になり、周りから恥をかかされないように行動しなければなりません。朝鮮半島の儒教は、ある意味、徹底的に人間中心の世界観を持っています。

逆に、キリスト教では、「自分の修行だけでは、人間は決して人間としての究極の目標（キリスト教でいう〔神の救援〕）までたどり着くことができない」とします。こちらもまた韓国で教えられた知識によるものですが、キリスト教で人が「正しく」なりえる方法は一つだけです。人間は誰もが罪を背負っているため、神との関係は断絶されたままだとします。神の子であり神の本体でもあるイエス・キリストが、人間の罪を代わりに背負って死んで、そして復活したこと。それを、「事実として信じ、その教えに従う」人間だけが、罪から赦《ゆる》され、神の国にも行けると言うのです。

キリスト教関係者の中には、社会から疎外された人たちのために、奉仕活動を続ける人たちもいます。でも、それは、「そうすることで赦しが得られる」からではなく、「赦しが得られた者としての義務」の実践です。それが社会に肯定的な影響を及ぼしているのは言うまでもありませんが、キリスト教では、社会奉仕で救援、罪からの赦しが得られるという教義はありません。人間ごときがどれだけ善行を積み上げても、たかがそんなもので、罪からの赦しが得られるものか。たかが徳ごときで人が善良になれるか。救援を得て天国に行きたかったら、イエス・キリストを信じて罪を赦してもらいなさい。そういう理屈です。

キリスト教は、人間を他の動物とは違う存在だとしながらも、人間中心の儒教とは逆に、徹底した「神」中心の世界観の上に成り立っているわけです。ちなみに、人間以外のもの、例えば動物などは完全にアウトオブ眼中で、あれだけ犬を家族のように愛する欧米社会であるにもかかわらず、まだキリスト教は「動物は天国に行けない。神の救援が得られるのは人間だけ」と教えています。

このように、人間中心の儒教と、神中心のキリスト教ですが、共通する部分もあります。儒教もキリスト教も、とにかく「敬」を示せ、というのは同じです。徳が高い人に敬の意を示せ、自分が徳の低い人間だと認めろ。罪を赦してくれる神様に敬の意を示せ、自分は罪人だと認めろ、と。それに、「人が正しい生き方をする」には他の方法が無いとしており、ある意味、とても一方通行です。

逆の方向には、「敬」を示しても意味がない、究極的には何も変わらないことになっているからです。むしろ、双方向性を望むことは、世の中の理、または絶対的な神の意志に反することだ、ある意味、「罪悪」なのだ、というニュアンスすら感じられます。

私は、韓国で、ざっと四十年間、実生活の中で、これら二つの思想を経験しました。そして、いまハッキリ覚えているのは、「疲れた」という感覚だけです。どちらも一方通行だったからです。詳《くわ》しくは本章で綴ることとなりますが、神と人間の関係だけでなく、どことなく人と人の関係も一方通行でした。

どうでしょう。さて、年間で約七万五千冊の本が発売されるというこの日本にて、この本を手にしてくれた、まさにミラクル読者である「貴方《あなた》」は、どう思われますか。まだ「はじめに」の途中ですが、私はこう思っています。意見が合うといいのですが。

人を大事に出来ない人は、神を大事にすることも出来ません。むしろ、その神に迷惑をかけることになります。私がなぜ「イエスは素敵な方だった」と思っていながらも、キリスト教徒をギブアップしたのか。それは、神に疲れたわけではありません。神の名で愛を語りながら、矛盾《むじゅん》した言動しか示さなかった、教会の「人」たちに失望し、疲れたからです。

儒教に対しても、いまでは「韓国の社会悪」としか思っていません。相手を見下すことで人より上になれると信じる人たちを量産してしまったからです。気や理のせいではありません。徳のせいでもありません。ただ、人のせいで嫌になりました。疲れました。

真の神国とは、神が人間との共存を受け入れ、人間が神との共存を受け入れた国のことではないでしょうか。人が人に、人が神に、神が人に、敬を示してくれる国。それが神国です。私は、その関係を支える大きな柱の一つこそが、日本語だと思っています。

ご存じでしょうか。言《こと》は事《こと》なりて、世の中の「こと」、全てに影響します。言語で書かれた文章に「行間」があるのと同じく、その言語が溢れている街にも、社会にも、行間があります。具体的に言わなくても観念的に分かり合える何かが、そこにあります。

「敬」を示す言葉の行間は敬で溢れ、人も敬に馴染《なじ》み、その行間は神の居場所となります。「蔑《べつ》」の言語の行間には蔑が溢れ、人も蔑になじみ、神はその行間から去っていきます。蔑を好む人などいません。人が住みたくないと思うところに、神が住むものですか。

ふと感じた、この国の一員になるために自分自身に必要なもの。足りないもの。本書は、その「もの」に関する私の試行錯誤の記録です。その「もの」は、日本語を真の敬の言語へと完成させる、日本という神国の行間の一つでした。本当に「何気なくそこら中にあるもの」。神社にもコンビニにもあったものなのに、なぜか意識せずに通り過ぎていたその行間。

最後に読者の皆さんから「どこが行間だ、『それ』は目にも見えるものだろうが」とツッコまれるかもしれませんし、実はそれがいちばん良いエンディングではないだろうかとも思っています。

でも、個人的に、この試行錯誤は、すごく良い人生勉強になりました。こうして一冊の本にまとめることが出来て、実に幸せです。約百三十年前、とある「大先輩」も同じ記録を残している、神国の行間、その一つの欠片《かけら》。それは、何だったのか。よろしければ、最後のページまでご一緒できればと切に願います。

本書は、２０２０年6月に刊行された『「高文脈文化」日本の行間』に新章を加え、改題し、新書化したものです。

目次

第三章 崩壊した韓国の「敬語システム」

目次

終章

新書版のための新章

序章

神の国の「行間」とは何か

目には見えない「空間」

☆まず、拙書のタイトルにある「行間」のことですが、一般的にある、本の行間の意味ではありません。似たようなものではありますが、もっと、個人的な見方による概念となります。文化とは言語と影響し合うことで進化していくものであり、言語で書かれた文章の集まりに行間があるなら、文化、国の信仰や街の中にも、「行間」にあたいする部分があるのではないでしょうか。

物理的な空間ではなく、もっとその社会の一員にならないと感じ取れないもの。しかし、あまりにも日常になりすぎると逆に感じ取れなくなってしまう、そんな目には見えない「空間」。それを「行間」と表現しているだけです。

その行間たる存在について考えるようになったきっかけは、有馬《ありま》温泉にある、とある神社での参拝でした。

二〇二〇年になって間もなく、神戸の有馬温泉を訪れたときのことです。神戸駅から高速バスに乗ると、有馬温泉まではもうすぐ、快適そのものです。有馬温泉のバス停に到着すると、大勢の日本人・外国人観光客、新・旧の建物が仲良く並んでいる街並み、真っ赤な「ねね橋」が、目に入りました。「ああ、やはり日本の温泉地は最高だな」と、怪しいおじさんモードになってバス停周辺をブラブラしていると、バス停のすぐ近く、ほんの少し階段を下りたところに、神社の鳥居が見えました。近くに寄ってみたら、稲荷神社でした。

韓国では歯科医師として生きていましたが、三年前、いろいろと、本当にいろいろと考えた結果、日本を住処《すみか》と選び、日本に移住しました。いまは「第二の人生」として、こうして日本でブログや本を書きながら、日々日本が好きになりつつある次第です。

しかし、滞在期間が五年必要なのでまだですが、最初から帰化して日本人になるつもりで日本に来ましたし、併合時代に小学生だった母から基礎を教えてもらった日本語のおかげで、こうして日本語でも何とか原稿が書けるものの、さすがに生まれながらの日本人ではない故《ゆえ》に、日本に氏神様《うじがみ》はおられません。

でも、家の近くに宇迦之御魂神《ウカノミタマノカミ》様を祀《まつ》った小さな鎮守神社があったので、その縁を大事にするために、家でもお稲荷様を祀っています。帰化というものは、ある意味では「国家（父）と国民（子）の養子縁組」のようなものですから、自分の心の中では、「もし貴方《あなた》さえよろしければ、これから養子の縁を組んでもいいでしょうか」という意味合いがあったのではないか、自分のことながらよく分かりませんが、そう思っています。この話は、後でまたすることとします。

「あ、ちょうどいい。神社で参拝しよう」と決めて、神社に向かいました。これは、いつもの癖ですが、神社に入るまでの間、頭の中で、つい「祈祷文《きとう》」を作成してしまいます。

「おかげさまで、今日、有馬温泉まで来ることができました……（中略）……住民の方々に迷惑かけること無く、楽しく過ごして帰れるよう……（以下略）」ウンタラカンタラ。

その日も、祈りを捧げようとして、頭の中で脳内祈祷文を作りながら、神社に入りました。

でも、結局申し上げたのは、「ありがとうございます」だけです。いつもこうです。遠くに旅行に行ったときにはよく現地の神社に寄りますが、いつも二礼二拍手して、「ありがとうございます」とだけ小さな声で申し上げて、すぐ一礼して終わりにします。稲荷神社でない場合は、「○○から来た○○です」と簡単に自己紹介をすることはあります。

しかし、頭の中で書いた文章をもう一度そのまま「申し上げる」と思うと、なんだか凄《すご》くわざとらしい感じがします。神社に入りながら頭の中でつぶやいたことを、神様はもう聞いた、いや「読んで」くれたかもしれません。心というか、考えというか、そういうものを、すでに感じ取ってくれたかもしれません。なのに、それをもう一度言うのは、神様に失礼かもしれません。

別に、同じ内容を繰り返して祈るのが悪いことだとは思っていませんが、この場合、神様に「大事なことだから二度言いますね」と、圧迫するというか急かすというか、そんな態度としか思えません。具体的に伝わらなかったとしても、それはそれで別にいいでしょう。大事なのは気持ちを伝えることです。だから「アリガトウゴザイマス」でいいのです。多分。

「ありがとうございます」だけでは何かが足りない

でも、その日は、参拝を済ませて神社から宿に歩いていきながら、ふと、「ありがとうございます」だけでは何かが足りない気がする、何か忘れてないか、そんな感覚に包まれました。うまく言えませんけど、別に忘れ物もしていないのに、何かをどこかに置き忘れしたような感覚、ちゃんと鍵をかけたのに、自宅まで戻ってもう一度確認してみたくなる、そんな感覚でした。

そして、やはりもう少し何か、ちゃんとした、そんな祈祷文を読み上げたほうがよかったかな、でもどんな祈祷文がちゃんとしたものになるのかよく分からない、そういろいろ考えているうちに、「いや、そもそも、神社に参拝するときって、いつ祈りを申し上げるのだろう」と気になりました。

読者の皆さんは、考えてみたこと、ありませんか。神社で参拝するとき、いつ祈りを、自分の願いを申し上げるのでしょうか。そんな時間的余裕があるのでしょうか。

もっとも基本的な作法とされる二礼二拍手一礼は、早ければ十秒で出来ます。二礼、二拍手してから一礼するまでの間、具体的に祈りを申し上げるのはなかなか出来ることではありません。「ありがとうございます」と申し上げるだけで、時間的には精一杯です。後ろに人が並んでいる場合は、特にそうです。絵馬に書くことも出来るけど、それも長く書くことはできません。せいぜい、「目指す大学に合格しますように」でもういっぱいです。

韓国では「長く、出来る限り具体的に」祈れと教えられた経験もあり、改めて日本の神社に、「不思議さ」を感じることとなりました。不愉快な不思議ではなく、子供（肉体は四十代）の好奇心によく似た、そんな不思議さです。

凄く短い、短いというか簡潔に、要点だけ、真っ先に頭の中をよぎる言葉だけ、パパーッと口にして祈りを済ませるなら問題ないでしょうけど、それってそう簡単なことでしょうか。そう考えると、口数、言葉数の問題ではありません。やはり、「ありがとうございます」だけで十分ではないかな……とも思えます。

そもそも絵馬というのも、感謝の気持ちとして馬を捧げたのが始まりだとも聞きますし。でも、それでも、やっぱりそれでも、自分自身の「ありがとうございます」には何かが足りない気がして、なりませんでした。

地域の神様とのご縁

宿に入って、温泉でアツアツして、ご飯を夕ベタベして、少し畳の上でネルネルして、またアツアツして、寝ようとしたけど「まだ寝るのはもったいない。ここ結構高い」と小物感半端ない雑念が入って、もう一度温泉でアツアツして、それからまた寝ようとしたものの、どうしても気になりました。「それが何かを気にする人の行動パターンか」とツッコまないでください。本当に気にしていました。

数年前、「元」キリスト教徒として、初めて神社で参拝したとき、ちょっと勇気が要《い》りました。まだ観光客として日本に来ていた頃、「教会以外の宗教施設は偶像崇拝である」という基督教（キドクキョ、韓国のプロテスタント・キリスト教）の特異な教えが、まだまだ頭の中に残っていたせいです。神社やお寺が偶像崇拝をする施設だとはとても思えませんでしたが、前に世話になったキリスト教の神に、凄く失礼なことをするのではないかと、心配だったからです。

でも、個人的に、神社が持つ開放的な雰囲気があまりにも心地良く、いつのまにか参拝もするようになりました。日本は、神様と社会、神と人を別々に考えることが出来ない国だと分かるようになり、「日本で住むことを決めたからには、住む地域の一部になる必要があり、その地域の神様との縁も大事にする必要がある」と気づいたときには、神社への参拝に何の抵抗感も残っていませんでした。

日本に引っ越してきて、家のすぐ近くに神社があったのが、また、大きかったと思います。近くにあったのがお寺だったなら☆、私は、日本の仏教徒になったかもしれません。ちなみに、ここまで、妙な星マーク☆が二箇所出てきましたが、いまは気にしないでください。

儒教という「宗教」が社会を支配している韓国

それから、「神様のことを気にしているから宗教生活しているように見えるけど、実は無宗教」な生活が続きました。口が裂けてもどこかの教徒、例えば神道教徒だと言えるほどの宗教生活はしていないし、そもそも神道教徒という日本語があるのか無いのかも分かりません。韓国人は、儒教思想を常に気にしながらも、自分を儒教教徒とは言いませんし、自分の宗教を儒教だと答える人もほとんどいません。

ですが、これは「神様のことを気にしないから無宗教に見えるが、実は宗教生活」という側面が結構強く、日本での無宗教暮らしとは真逆です。他の国ではどうなのか分かりませんが、朝鮮半島の儒教には「神」という存在が無く、基本的に自分のご先祖様を中心とする信仰となります。

南より北のほうが、分かりやすいかもしれません。いまは露骨に社会主義ではなく「主《チュ》体《チェ》思想」などをもっと高位のアイデンティティーとしている北朝鮮ですが、最初は社会主義国家を謳《うた》いながらスタートしました。

もともと社会主義というのは、社会の階級や権力の世襲などを否定するものですが、北朝鮮の人たちは、そうではありません。社会主義を謳いながらも、最高指導者である首領の血統による権力世襲、いわゆる白頭《ベクトゥ》血統に何の抵抗感も持たず、首領をオボイ（親）と崇めるのも、儒教思想に基づく「生まれからして貴賤があり、それが子に世襲されるのは当然だ」という考え方が影響を及ぼしています。

南（韓国）のほうもまた、自分の味方である「ウリ（私たち）」と、そうでない「ナム（他人）」を極端に区別しすぎる問題があり、それが自分の属した集団の内部規則を法律よりも重視する社会風潮を作ってしまいました。

これは、昔から続いた「氏族」による政治派閥争い、いわゆる党派争い（ダンパサウム）の現代型という見方もできます。党派争いで負けた方は、死んだ先祖までひとくくりにされ、社会から抹殺されました。「罪人の子は罪人、罪人の先祖は罪人」とする韓国社会の考え方も、ここに起因しています。

これらの考え方は、韓国人の精神世界にいまでも根強く残っています。いわば、韓国はいまだ儒教に縛られている、誰も宗教とは呼ばないけれど、実は儒教という宗教が社会を支配しているようなものです。この儒教思想は、他の宗教、韓国の仏教やキリスト教にまで、根強く影響を及ぼしています。唯一神を信じるキリスト教の教会が、「別の教会はダメ、ウリ教会だけが正しい」と信徒たちを「客引き」競争している（自分の教会に通わせようと誘導する）のも、韓国のキリスト教会だけの特徴です。

日本語という「神国の言葉」

そんなところで四十年も暮らした私ですので、日本で感じるようになった「神を意識するようにはなったけど、無宗教」という生活は、初めて感じる心地良さでした。宗教生活が悪いという意味ではありません。もちろん、社会に肯定的な影響を及ぼすちゃんとした宗教に限ってのことですが、宗教生活は人生に大きな力になります。

でも、韓国での宗教生活、および「無宗教のように見えるけど宗教並みの縛りを持つ」力に、私は「疲れて」いました。宗教というもののイメージそのものも、相応の分、悪くなっていました。そもそも、いくら良いものだとしても、疲れたら距離を置きたくなるものでしょう。

日本での心地の良い生活が四年ほど続きましたが、いま思い出してみると、私自分自身、「もう少しレベルアップしたい」と思っていたのかもしれません。神様が私に何かをしてほしかったわけではありません。私が神様に捧げるべき何かが、足りないと思うようになったわけです。

「私がこの国の一員になるために、そろそろ気づかないといけない『何か』がある」

有馬温泉の稲荷神社での出来事は、私にそう教えてくれました。そこから始まって、いろいろ考察するようになって、たどり着いた言葉は、「行間」です。日本語の「行間」、日本の街の「行間」、日本の「行間」、私の「行間」。それにはどのようなものがあって、どのようにして読み取れるもので、また、どうすれば自分で他人に「行間」を残すことができるのか。

いわば、どうすれば私がその街の「行間」の一部になれるのか。

それは、在留資格を得て、法律的に日本に滞在することとは、また別のものでした。制度を「文章」だとするなら、これは「行間」です。ただ文章を読むだけでは伝わらない何か、です。なかなか正解が出てきそうにない、とても個人的な考察とはいえ、ある程度は「結論に近い何か」まで気づくことができました。

本書は、そういう話の本です。「なんだ、それだけかよ」と、自分でも本当に大したこと無い結論だな、と思いますが、それでも、決してこの考察は無駄ではありませんでした。なぜなら、私はそれを、日本語という「神国の言葉」の、立派な行間の一部だと信じているからです。

第一章

「イタダキマス」から見える日本の「空間」

日本のアニメを愛するOTAKU

日本動画協会が毎年発表する「アニメ産業レポート」によると、二〇一八年の日本アニメの海外展開規模が、初めて一兆円を超えたそうです。いままでは違法ダウンロードなどで見ていた人たちが、普通の動画配信サービスでちゃんとお金を払って見るようになった、という話も聞きます。とても良い話です。

最近は専門的な知識を持っている人たちの手で、アニメにも立派な外国語字幕が付き、DVDやブルーレイには外国語音声も付いていたりします。でも、わずか二十年前まで、海外の人たちが日本のアニメを「合法的に」見るのはなかなか難しく、字幕なども適当でした。ちゃんと正式なライセンス契約で発売されたDVDでも、英語字幕と日本語の台詞《せりふ》が全然合わないことも結構ありました。

しかし、そんな悪条件の中でも、海外の日本アニメファンたちの熱意はベリーホットなもので、現地市場の問題点や情報共有、雑談などのため、日本のアニメに関するネットコミュニティーがいくつも作られました。

彼らは、本当に日本好きで、韓国式に言うと「親日派（チニルパ）」でした。とにかく何でもかんでも日本のオリジナル版と同じでないと嫌だとする傾向がありました。たとえば、日本の人気コミックがアメリカで発売される場合、本をめくる方向も日本と同じでないとダメだ、という意見が結構ありました。日本のコミックは右開きですが、アメリカのコミックは左開きです。出版社からすると、無駄に熱血なお客様が多くて困っていたことでしょう。

とはいえ、そのOTAKUな方々全員が日本語を理解していたわけではないので、さすがに英語版の発売、すなわち英語字幕や英語音声を望む声は多く、切実でした。そして、その字幕に対してもかなり鋭い考察が行われました。

日本語辞典片手に、訳を間違えた字幕は無いのか徹底検証したり、あまり意訳っぽい文章になっていると意訳しすぎで嫌だ、直訳すぎると直訳しすぎで嫌だ、などなど。市場においての、ある種の元気だと見ることも出来ますが、DVD発売元もまた、頭が痛かったことでしょう。

「イタダキマス」の英語訳論議

いまはもうありませんが、二十年ぐらい前、そんな類《たぐい》の、英語圏のアニメファンたちが集う某ネット掲示板がありました。日本アニメの正式発売の新作情報を共有したり、アニメに出てくる日本の街の風景について語り合ったり、日本に行ってきた人は意気揚々と「日本に行ってきた！」と旅行記を書いたり、面白い書き込みが多く、私もたまに目を通していました。

個人的に、特に面白かったのが、重症（?）なファンたちの間で頻繁に議題になった、「イタダキマスの英語訳」です。各種アニメの食事シーンで無数に出てくる言葉、イタダキマスの英語訳をどうすればいいのか、というのです。「Let's eat」などの訳が一般的でしたが、そんな「愛のない訳」なんか認めたくない、というのが衆論でした。

だいたい、イタダキマスに食べる（eat）という言葉は入ってないではないか、なにかもっと良い訳があるはずだ、と。こんな「～はずだ」で始まる議論が無駄に長くなるのは世界共通のようで、当時も、無駄に長く、そして無駄に熱く話が進んでいたことを、覚えています。

余談ですが、欧米では、食事の前に言う決まり文句はありません。「おいしそうだ」「さぁ、食べよう」など、人それぞれです。だから、実は、別にLet's eatでも問題があるわけではありません。

私は、その議論に参加したことはありませんが、面白いと思うと同時に、「ちょっと意外だな」とも思いました。イタダキマスの「愛のある」訳は何なのかを論じ、「eatと言ってないじゃないか」を常に議論の根拠として挙げ、様々な訳を提示し合う多くの参加者たちでしたが、彼らもまた「食べる」表現から離れることができませんでした。

一つ例えるなら、頂くわけだから「take」を使って、「take a meal（食事を摂る）」のほうがずっとそれっぽいじゃないか、などです。理由はともあれ、結局は、何かを食べるという具体的な動作から抜け出すことができなかったわけです。それなら別にLet's eatでもいいでしょうに。

あのとき、多少オーバーヒートな熱い意見を交わしていた人たちをバカにするつもりなどまったくありませんが、私は、英語にするというのはとりあえず英語圏の人たちが理解できないと意味がないから、「Give Thanks to God（神に感謝を）」あたりでいいのでは、と思いました。

神様の意味は日本と欧米で随分《ずいぶん》違うでしょうし、最近は、米国でも主の日（日曜）にちゃんと教会で礼拝を捧げる人が国民の半分にもならない、そもそもキリスト教徒が、新教・旧教を合わせても国民の七割にもならない、食事前に祈りを捧げる人は絶滅危惧種だ、そう聞きます。

でも、もともとは、キリスト教圏では、食事の前に感謝の祈りを捧げるのがセオリーでした。一時は米国人の九割以上がキリスト教徒でした。自分で祈ったことは無くても、食事の前に祈りを捧げること自体に拒否感を覚える米国人はそういないでしょう。

イタダキマスは、その食べ物の「命」はもちろんのこと、その食べ物が私のところに来るまで関わってくれた人たちの力を頂くものだと、私は信じています。だから、世界全てを神が統《す》べると信じている欧米だと、「神に感謝を」でも意味が通じるのではないでしょうか。とりあえず、何かの形で感謝の意味を入れれば、いわゆる「愛のある」訳になれたかもしれません。いまの私なら、何も考えず「ＩＴＡＤＡＫＩＭＡＳＵ」と訳します。

英語、韓国語をはじめ「どうぞ」を直訳できる言語はない

突然のアニメ話で恐縮でしたが、食べるという具体的な行為と、それを表す言葉の相関関係が、日本語と英語とでは、多少ズレています。ズレているからどちらかが悪いというわけではありません。ズレているからどちらかが優越でどちらかが低劣だと言うつもりもありません。

ただ、異なります。異なるから、それぞれの言語を使って育った人たちの考えが及ぶ範囲にも、また差があります。一つの言語体系が万能ではないでしょうから、届く範囲にも差が出るのは当然です。

「食べる」という具体的な行為において、英語は「食べる」からあまり範囲を広げません。しかし、日本語は、具体的な何かのために縛られることが少ないため、カバーできる範囲ももっと広がります。言わば、具体的でなくても、もっと感覚的、観念的に何とかなります。

その言語圏の人たちの間で、すでにある程度の了解、感覚的に共通する何かが共有されているから、具体的に言わなくても、「なんとなく」意味が補完され、会話が成立するのです。実際、「なぜ食事の前に『食べる』とは違う言葉を使うのか」という疑問は、すくなくとも日本では聞いたことがありません。

日本語には似たような例が数多く、「どうぞ」の場合、そのシチュエーションをもっと具体的に説明できる単語に替えないと、外国語への直訳は無理です。例えば、家に入ってきていいですという意味で「どうぞ」と言った場合、英語訳はPlease come in（中にお入りください）、韓国語訳は「ドゥロオセヨ（들어오세요、中にお入りください）」になり、

ずっと具体的な表現にしないといけません。もちろん、韓国語にも「どうぞ」をそのまま直訳できる単語はありません。

「文化」と「空間」の関係を研究したエドワード・ホール

文化人類学者エドワード・ホール氏は、文化と「空間」の関係をテーマにした研究で有名です。彼の研究テーマは、「空間人類学」とも呼ばれています。バス停で並ぶとき、前の人とどれだけ空間を作るのか、車を運転するときに安全な車間距離をどれだけ確保するのか、そういう空間は、文化によって違います。

簡単なことのように思えますが、実は、車道、歩道、バス停の位置やデザイン、広さ、交通システム、そして通勤時間などに見られるその社会の経済、物的・人的資源の回り方、多くの要因が、そこに関わっています。

エドワード・ホール氏は、主にそういう空間を分析し、それが文化圏によってそれぞれ違う、空間がその社会の文化を表している、と主張しました。空間からその社会の人たちの考え方が見えてくる、というのです。

私の実体験によりますと、韓国人は店や家で誰かと酒を飲む時、ほぼ間違いなく相手と向かい合って座ります。だから、カウンター席はあまり人気がありません。これは、酒を飲むときにも上下の区別があるからで、酒を飲む時、相手から顔をそらす（自分の顔を横向きにする）のが礼儀だからです。そもそも、韓国では、話す時にも、相手の顔や目を見つめるのは失礼で、下の立場の人は少し視線をそらします（基本的に、少し下げます）。まっすぐ見つめながら話すのは、ある種の「挑戦」、下の者が、上と同格になろうとする意味を持ちます。隣りに座っていては、相手が自分に対してちゃんと礼儀を取っているのか、確認できないし、韓国人は一人で酒を飲んだりご飯を食べたりするのを極端に嫌がるので、食堂にもカウンター席はそうありません。

家族や友だちなど、韓国人が一般的に「ウリ（私たち）」と呼ぶ仲間たちは、出来る限りの空間を共有しようとします。家の構造も、日本の場合は子どもたちが親のいるリビングを通らなくてもトイレに行ったり、外出したりできる構造ですが、韓国の場合は、リビングを通らないと外には出られない家がほとんどです。

このような「空間」の構造には、韓国人の「家族の間に秘密があってはならない」とする考えが反映されていると言われています。余談ですが、欧米でもそういう構造の家は多いけれど、子供の部屋を二階にすることで、独立性というか、子供のプライバシーを守ってやるのが一般的です。

何か悲しいことがあって、「一人にしてくれ」と言い残し、部屋という名の「空間」に閉じこもった人がいるとします。日本では、本当にそのまま一人にしてやるのも選択の一つとして成立しますが、韓国では違います。

韓国人は、「一人にしてくれ」と言う人ほど、誰かが自分の部屋に入って慰めてくれることを期待します。一人にしてくれと言われて、本当にそのままにしておくと、後で「なんで私を無視するのか」と怒られます。これもまた、良いか悪いかは別にして、文化において、空間の使い方、その空間が持つ意味、空間に対する認識が、それぞれ違うという、微笑ましい(?)事例になるでしょう。

日韓比較——限られた「空間」の使い方の違い

一九四三年、イギリスの首相だったウィンストン・チャーチルは、「私たちは建物の形を作り、その後、建物は私たちの形を作ります(We shape our buildings and afterwards our buildings shape us)」と言いました。

これは、国会の下院となる「庶民院」の復旧の際に話したことで、この建物が英国議会制民主主義の本質である両院制（two-party system、もう一つは貴族院）を表わしているという意味です。

建物を作ったのは人間だけれど、その建物はやがて人間が歩いてきた歴史の一部となり、人間がその歴史の中で形作られていく、という意味です。そこまで大げさなものでなくても、文化が空間を作り、その空間で生まれ育った人たちがその空間に適応していくことは、どこの国、どこの街でも、普通に起きていることでしょう。

そういえば、二年前に書いた日韓比較論『人を楽にしてくれる国・日本』（扶桑社）に、自転車の話を少し書いたことがあります。日本では自転車が通り過ぎながら、ベルを鳴らすことはほとんど無いので、どうしてだろう、という話でした。

韓国ではとりあえずベルをチリンチリンと鳴らして、自転車の前にいる人に知らせるのが普通です。でも、日本では後ろから近づいてくる自転車でも、ほとんどベルを鳴らさず、サーッと通り過ぎていきます。

実はそれも、他国で感じた、「限られた空間の使い方の差」を経験したものだと言えます。日本では「自転車も車だ」、「だから自転車が人を避けて走るべきだ」という認識が韓国より強く、ベルを鳴らす行為を「私が避ければいいだけなのに、ベルを鳴らすのは人様に対して失礼だ」という共通認識があったのです。

そしてその認識の差が、日本と韓国の空間、歩道という空間の使い方に妙な差を作り出していたのです。このような空間の差が、まだ異国生活に慣れていない外国人に、ある種の疎外感を作り出す一因だと主張する人もいますが、要は慣れの問題でしかありません。私の場合は、一年で後ろから通り過ぎていく自転車を気にしなくなりました。実際、ぶつかったり自転車関連で何か不愉快な経験をしたことも、一度もありません。私が、日本という社会にある空間の使い方に、適応できたのでしょう。

文化が言語に、言語が文化に……無数に繰り返される影響

エドワード・ホール氏、及び、類似した主張や研究をした学者たちは、こういう数々の空間の概念は、各文化圏のいろいろな分野から、それぞれ違う形で見出《みいだ》すことができるとします。

一九六六年の古い本ではありますが、著書『かくれた次元』にて、エドワード・ホール氏はこう書いています（以下、引用部分ですが、韓国語版を私が日本語訳したもので、原版や日本語版とは少し違う訳になっていること、ご了解ください）。

〈……人々がお互いに維持する空間、そして都市、家庭、オフィスで自分の周りに設定する空間に関する私の研究を、本としてまとめる目的は、私たちが、当たり前のように思ってきたことを、もっと意識するようにするためであり、それは、自己認識を増進させ、疎外感を弱めるためである。要するに、人々が自分自身をもっと知るために役に立ちたいという願いなのだ……〉

そう、彼は、それぞれの文化圏は「空間」において独自の感覚を持っており、それは、私的環境はもちろん、都市環境そのものにまで影響しているとします。そして、各文化圏でそれぞれの空間が作られるにおいて、もっとも根幹となるものをいくつか提示していますが、「言語」もまた、その一つです。

『かくれた次元』には、率直に言って、個人的に「いや、それは関係ないのでは」と反論したくなるものも載っていますが、言語がその空間の根幹を作るという見方には、私も一切異論がありません。

ある文化圏独自の「空間」たる概念ないし感覚が文化とともに作られるものなら、その文化と切り離して考えられないものが、言語です。各文化圏の文化が言語作りに影響を及ぼし、言語がまた文化作りに影響を及ぼす、それが無数に繰り返されるわけですから。

日本語は「もっとも高文脈文化な言語」である

エドワード・ホール氏の「空間」関連の話を、言語に限って、短くまとめてみると、「言語は思考の形成に絶対必要であるため、言語が違うと、そもそも思考の仕方が違う。だから、同じ事案に対しても、言語が違う文化圏だと、それぞれまったく別の感覚で受け止める。言わば、私たちが現実を『世界』として受け止めている感覚は、私たちの言語によって構築されたものであり、違う言語を使う人は別の感覚で受け止めているものであり、いわば、同じ現実でも別の世界であるかもしれない」、となります。

エドワード・ホール氏はそれからも人類学の研究を続け、一九七六年『文化を超えて』という本にて、世界の各文化を、「高文脈」と「低文脈」に分けています。英語ではhigh/low contextと言います。

高文脈文化圏の言語システムは、実際に言葉にした内容よりも多くの情報が、相手に理解されます。そして、エドワード・ホール氏が著書で「もっとも高文脈文化な言語」として挙げたのが、日本語です。

　個人的に、というか日本語を勉強する外国人なら誰もが一度は驚くことですが、日本語の「どうぞ」や「どうも」の万能さもそうです。高等学校のとき、第二外国語科目で日本語を学んでいたとき、先生は「『どうぞ』と『どうも』さえ分かるようになれば、日本語会話は何とかなる」とよく言っていました。

　確かに、日本語は、具体的にこうだああだと言わなくても、なんとなく意味が通じ、実際には会話が成立します。一つの発音に別の意味、一つのカナに別の漢字を付与して「思う／想う」、「お父さん／お義父さん」などを作り出す日本語の素晴らしさが、ハイコンテクストたる側面をさらに高い完成度へと昇華させていると言えましょう。

　ちなみに、低文脈文化の言語システムは、ちゃんと言葉で表現された内容だけが、会話として成立します。エドワード・ホール氏によると、こっち方面の一位はドイツ語です。もちろん、これは言語の優劣を決めつける概念ではありませんし、そもそも『文化を超えて』もまた本書も、そういう意図の本ではありません。

「これだけ言えば分かるだろうが普通！」と、「言わないとわからないだろうが普通！」、どちらの弁に理があるのでしょうか。どちらが良くて、どちらが悪いのでしょうか。わかりません。人それぞれ、シチュエーションそれぞれです。言語も同じです。呼び方が

「高」だろうが「低」だろうが。

　ただし、この差についての知識は、国際社会では必要です。日本では「沈黙」も一つのコミュニケーションとして認められる風潮があります。でも、欧米圏では、沈黙はコミュニケーションとして認められません。何も言ってないのに、会話として成立するはずが無いと思われるからです。

　これまたずいぶんと極端な例えになりますが、国連など国際会議の場でも同じです。「言うべきことはハッキリ、具体的に言っておく」態度が、日本の外交に欠けているという指摘を、たまに目にします。それもまた、言語と文化の影響が少なからず影を落としているのかもしれません。

　また、細かく言わずに文章の一部を省略しても十分に意味が通じる……たまに、相手には通じていないのに「通じたと思い込む」ミスもあったりしますが……のが、ハイコンテクストな言語体系の特徴です。場合によっては主語など重要な部分を略することも、珍しくありません。

　実は、本書の「謎の星マーク☆」ですが、実は☆と☆の間、「私」という言葉を一度も用いていません。読者の皆さん、お読みになった時、多少の違和感はあったかもしれませんが、「これでは意味がまったくわからない」という日本語文章が、あったでしょうか。もしまだお読みでないなら、読んでみてください。

「高文脈言語」とは、「行間」を読むべき言語

さて、実に恐縮ですが、敬愛するエドワード・ホール氏の「空間」と「言語」に対する主張を、私という個人が、私に合わせて、ここから「拡張」してみます。いわゆる空間人類学ではなく、「ワタシ空間学」なだけの話です。しかし、私は、間違っていないと信じています。「思っています」と書いてもいいけど、あえて「信じています」とします。

「ワタシ空間学」は何なのかというと、「高文脈言語とは、具体的でない部分を補完する観念的な何かが必要なのではないか。すなわち、高文脈言語は、『行間を読むべき言語』だとも言える。その社会の構成員なら、誰もが難なく読み取れる行間のことだ。そんな言語で出来上がった文化圏の国、街にも、その『行間』が何かの形で溶け込んである。でもそれが何なのかまだ分からない」です。

別に、勇者が魔王を倒しに行くゲームのように、街に隠れ部屋があるという意味ではありません。

その社会を当たり前のように生きる人たちは、その行間を当然のものだと思っているかもしれません。ずっと前からあったし、これからも無くならないだろうと思っていることでしょう。でも、「外部」から来た私からすると、それは未知の領域です。

韓国でよく問題となる、「機能性非識字者」というものがあります。字は分かるけど、その字で書かれている内容が理解できない人たちのことです。例えば、字は読めるのに、薬に書いてある服用法が理解できない、そんな人たちを、そう呼びます。

私が、制度的に、合法的に日本に住んでいることは、「字が分かる」に過ぎません。しかし、それだけでは機能性非識字者と何も変わりません。日本、特に日本語において、感じ取らなければならない重要な情報が読めないでいるのではないか。その「感じ」が、本書で言う、日本の「行間」です。私が神社でアリガトウゴザイマスだけでは足りないと思ったものは何か、それに気づくヒントも、きっとそこにありましょう。

しかし、有名な人類学者の話まで持ち出してキリッとしながら行間と言ってみたものの、「行間」って何でしょうか。どんなものでしょうか。

この考察を始めたきっかけの、有馬温泉の神社での私の心理状態からして、かなり肯定的なものであろう、ということ。その点、幸いです。間違い探しより、宝探しのほうが、もっと楽しく出来るでしょうから。

朝鮮を建国した李成桂《イソンゲ》の顧問でもあった「無学大師」（学が無いとしながら自分でこう名乗っていました）の言葉ですが、「豚の目には豚が、釈迦の目には釈迦が見える」。少なくとも旅行先の神社で「何かもっと出来るはず」と思ったことがきっかけですから、少なくとも悪いものを「見」ようとしたはずはありません。でも、その「何か」が具体的に何なのか、モヤモヤしすぎでまったく形が摑《つか》めませんでした。

空間が溢れる「街」、文化のカギを握る「人」

とにかく、街に出かけてみないと、何も始まりません。街ほど、言語たる情報が溢れている場所もそうありません。文字情報を含めた様々な言語、エドワード・ホール氏の言う「空間」が溢れる、街こそ文化の結晶です。何より、すべての文化のカギを握る、「人」で溢れています。

単に知りたい、もう少し深入りしたいという好奇心がもっとも大きな理由でしたが、次の本（本書です）のメインテーマにもしたかったので、ある種の取材（？）のつもりで、適度に意識しながら、私は街を歩いてみました。

いつもの街だけではありません。さすがに通勤時間に動くのは迷惑だろうと思って控えましたが、わざと人が多いところに行ってみたり、人がほとんどいないところにも行ってみたり、それまではあまり行かなかった地元の資料館や小さな博物館、美術館などを回ってみたり、大好きな海を見に行ったり、花を見に行ったり、テーマパークに行ってあえて非日常な風景を見たりしました。

歩いたり、バスに乗ったり、電車に乗ったり、飛行機に乗ったり。「締め切り二週間前までは無敵」である作家生活の利点を十二分に活かしました。

でも、そのどれもがとても満足できるものでしたが、私の頭の中でグルグル回っている「行間」たるイメージをもう少し鮮明にすることは、出来ませんでした。いまさらですが、いつもより少しだけ強く意識するからといって、すぐに見つかるようなものでもないでしょう。そうやってすぐ分かるようなものなら、そもそも行間と呼ばれるはずもなく。

豚でもお釈迦様でもなく、「私」には「私」しか見えなかったようで、どれもいつもどおりの見方しか出来ませんでした。いい豚丼の店なら一箇所見つけました。

いつもどおりだからといって、つまらなかったという意味ではありません。日本に来てから、不愉快な気分で帰ってきた旅行などありませんでした。温泉の湯は夕方になってもキレイだし、運転のストレスレス、公共交通の優秀さ、人々の配慮、観光地の多様さ、そして、夜に出かけても昼にでかけても、雨の日の夜でも、空気が美味しく、嫌な匂いがしないこと。韓国では経験できなかった快適さが、そこにありました。

そうしていたら、いつのまにか、頭の中が「世界平和モード（ま、いっかモード）」になって、そして、『なぜ韓国人は借りたお金を返さないのか』（扶桑社）の新書版のための新章を書くことになり、行間はあまり意識しなくなりました。いつもの街を、いつもどおりに歩いて、いつもどおりの風景を見て、いつもどおりに帰ってくる、しばらくそういう毎日でした。

「さっきまで偉そうに書いていた話は何だったんだ」と言われると反論できませんが、行間がどうとかは、このまま頭の中で幻のネタになってしまうのか、それはそれでいいかな、とも思っていました。

韓国で「塩スープ」と言えば、味がひどいという慣用表現

そんなある日、あの禍々《まがまが》しい新型コロナウイルスが大問題になる、少し前のことです。

いつもラーメンは味噌ラーメンかとんこつラーメンにしますが、その日は、悪魔のいたず

らか神のお導きか知りませんが、なぜか塩ラーメンを注文しました。

うろ覚えですが、多分人生初の塩ラーメンです。なぜいままで食べなかったのかというと、どうもこの「塩」という字に拒否感がありまして。でも、食べてみたら、美味しい。すごく美味しかったです。こんなに美味しいなら、もっと早く食べればよかった、と思いました。

もちろん料理によって違いますが、一般論として、韓国で料理や味に関して「塩」の字を付けると、それはものすごくひどい味を示します。どこで何を間違えたのか、いまの韓国料理は辛さを売りにすることが多いですが、実は韓国料理の昔ながらの味は、具を煮て汁を出すことにあります。味がそんなに強いものでもありませんでした。

これは身分制や急激な産業化、ソウル一極集中など、両極化がひどかった朝鮮半島の歴史とも関係があります。上流層の人たちは、汁を出すことで、体に良い成分を得ることができると考えました。

昔は、様々な薬材を煮て、その汁を薬としました。その煮る過程で心を込めないと、薬は効能が無いという考え方がありました。それは女性、特に患者の妻の仕事で、薬に効果が無いと、それを煮た女性のせいだという批判を受けたりしました。韓国ではこれを「情《ジョン》誠《ソン》が足りない」と言います。薬を煮るのは、ある種の祈りだったわけです。

似たような考えが料理にもあって、グック（スープ）やタン（湯）など、肉や鶏など高級な材料を水に入れて煮て汁を出す料理こそが、体にもいいとされました。いまのように簡易化されたものではありませんでしたが、サムゲタンやカルビタンのようなものがそうです。

逆に、身分が低く、貧しい人たちは、ありったけの食材を適当に混ぜるか、単に量を増やすため、水に食材を入れてスープを作りました。具の良し悪しにもよりますが、前者がビビンバ、後者がグッパなどです。いまでは韓国料理といえば「混ぜる」イメージがありますが、実は混ぜることは、身分の低い人たちの食べ方でした。

でも、最悪の場合、そんな適当なスープすら作れない人たちもいました。具を煮て汁を出す料理は、良い材料をいろいろ入れると様々な味を出すこともできますが、具として使える食材が無いと、美味しいかどうかを離れ、味そのものを出すことすら難しくなります。本当に量を増やす以外に、スープにする意味が無くなります。

身分制度があった頃は言うまでもなく、朝鮮戦争が終わり、韓国で首都ソウル一極集中の経済発展が行われた一九六〇～七〇年代にも、そういう食事しか出来ない人たちは大勢いました。その場合、仕方なく、少ない具のスープ料理に塩を入れて、味を出します。具だけではいくら煮ても味が出せないからです。

その圧倒的な不味《まず》さは強烈で、いまの韓国でも、「塩スープ（ソグムクック、소금국）」と言い、味がひどいという慣用表現として残っています。一言で、貧乏くさい味付けのことです。そうしたイメージのせいか、それとも単なる好みの問題なのかは分かりませんが、韓国では味が薄くて塩を入れないといけない一部のタン（湯）料理以外に、白い塩が食べ物と一緒に出てくることはほとんどありません。

それでも私がまだ学生だった頃は、食べ物、例えば茹で卵などを白い塩に付けて食べることは普通にありましたが、いまではフライドチキンから茹で卵まで、ほぼ間違いなく、マッソグムといって、味付けをした塩が付いてきます。

ヒントは韓国語に訳せない日本語

塩ラーメンを食べた日、同じ「塩」の字を付ける料理でも、日本と韓国とでは、意味がこんなにも違うものだな、と思いました。もっと根本的な話、日本の塩は普通に美味しいです。塩ダレを使ったラーメンだけでなく、塩そのものが、たまに指につけて口に入れてみると、凄く美味しいです。

これは、韓国ではあまり経験しなかったことです。日本にも味付け塩が無いわけではありませんが、そこまで流行っていません。その理由は、多分、韓国に比べて、必要性が感じられないからでしょう。似たような理由で、いまの韓国料理に、醤油を直接付けて食べるものはほとんどありません。

これもまた、昔は結構ありましたが、いつからか、味付けをしたジャン（「醤」の韓国語読み）というソースが一般的になりました。刺身をワサビ入り醤油につけて食べるときのあの感覚を知っている一人として、文化の差を感じずにはいられません。

日本に来てから、食べ物関連で「味を楽しむ」ことが増えました。しかも、さほど難しいやり方でもありません。最近の「自己ヒット」は、ステーキにわさびを少し載せて食べることです。

無茶苦茶高いレストランの料理を言っているわけではありません。値ごろ感あるステーキ店でも、ステーキにわさびを少し載せて食べてみると、なんとも言えない素晴らしい味が楽しめます。

茹で卵の半熟もそうで、韓国では目玉焼きでもないかぎり、卵は完熟が基本です。最初は半熟の茹で卵というのが食べづらい、皮を剝《む》きづらいと思いましたが、最近は半熟も美味しく頂けるようになりました。塩を少し載せると最高です。ここだけの話、日本に来てから体重が結構増えました。

韓国にいたときには、塩のことも、生活に必要なものだとは認識していましたが、美味しいと思ったことはありません。日本の塩ラーメン、塩ダレ、塩味。これらを韓国語に訳すなら、少なくとも直訳は避けるべきでしょう。まったく別の意味になってしまうからです。

そう考えているうちに、ふと気が付きました。あ、そういえば、韓国語に訳せない日本語に、私が求めている「行間またはそれに準ずる何か」のヒントがあるのではないだろうか、と。そもそも言語の行間が街にも行間として表われているという発想だったので、街のそれをいきなり見つけようとせず、まずは日本語「だけ」の特徴をもう少し考えてみよう、と。

そしてその「だけ」の中でもっとも分かりやすいのが、韓国語に訳せない言葉です。日本の街に住むようになってからはまだ三年ですが、韓国語は当然できるし、日本語は随分《ずいぶん》前から勉強してきました。両方の言葉が分かるという利点を活かして、「訳せない」をヒントにすることもできるはずです。いままでは訳すために勉強してきたものを、訳せない部分のために使ってみるというのも、新鮮で面白い気がしました。

具体的に言わなくても、社会に共通する「感覚」によって伝わる日本語

エドワード・ホール氏の言う「高文脈」というのは、具体的に言わなくても話の流れ、その社会に共通する何かによって意味が伝わるという概念です。日本語こそがその最先端である、とも。文脈の中でも、個人的に、社会構成員たちに共通する「感覚」こそが、最大最強の文脈として成立するのではないか、と見ています。

その中には、もっと具体的な形で「発掘」されたものも存在します。日本社会は、「なんとなく」を形にした言葉を多用しています。日常で何気なく使っていて、相手にもほぼ共通した意味が伝わるけれど、実は詳しく説明するのは難しい言葉のことです。

この点、むしろ外国人にしかその凄《すご》さがわからないかもしれません。例えば、ビールの宣伝にはほぼ間違いなく出てくる「コク」とか、料理の美味しさの尺度の一つとされる「旨味」などがそうです。旨味は英語でもＵＭＡＭＩで、なんとその存在が科学的に立証された、という話も聞きます。行間のような存在だったものが、一つの具体的な単語にな

って社会に出てきたわけです。

もちろん、まだそれらの言葉の「感覚」が分かっていない外国人からすると、まだまだ難しい単語ではありますけど、日本での生活が長くなるにつれ、「なんとなく」分かってくるでしょう。コクも旨味も、韓国語には直訳できる言葉がありません。

文化から言葉が出来たり、その言葉が文化を作ったり。言葉が感覚を認知させ、感覚が言葉になったり。この「感覚」というものは、実に強大な力を持っています。なぜ強大なのかというと、言語の文法を公式に変えたわけでもないのに、言葉の持つ「意味の伝達」という側面をガラッと変えてしまうからです。

私たちの社会は法律によって支えられていますが、だからといって社会の全ての規則、個人的で感情的なことまでいちいち法律で判断されるわけではありません。道徳、礼節など、私たちの生活には、法律以外にも多くの規則が存在します。法律のように公文書として存在し、その規則を破った人を強制的に処罰できる権限を持っているわけではありませんが、それらの規則も大事で、私たちの生活に強い影響を及ぼします。

言語もまた同じです。文法のように、学者レベルで多くの議論を経て公式に決まる部分もあります。しかし、文法を変えたわけではなくても、特定の方向性に偏った使い方をする人が増えると、言葉は「社会の通念」という規則により、変化します。

例えば、文法的には間違いなく相手への尊敬語であるのに、実際の生活での利用は、相手に失礼な、むしろ相手を侮蔑する意味として使われている言葉もあります。言い換えれば、礼儀正しく使う人が多いと、その言語システムは礼儀正しくなります。相手を攻撃する人ばかりだと、彼らの言語は攻撃的になります。例え、文法的には昔と変わっていなくても。そうした変化もまた、言語システムの「行間」ではないでしょうか。社会の通念がそう進化させましたから。

そして、それらの進化には、「外国語に訳すのが難しい」という共通点もあります。

第二章
言語が文化を進化させる

改革の成功要因は「国民の頭がデカくなること」

文化が言語を作り、言語が文化を作るという話。

「それはそうだろう」と納得出来るものの、よく考えてみると、意見が分かれそうなテーマでもあります。様々な考え方があるでしょうし、同じ考え方でも思いつく事例は人それぞれでしょうし、コンセプトは分かるけど「文化」や「言語」とは別の単語のほうがもっと適切ではないだろうか、などなどです。

私は個人的に、単に言語が存在するだけではどうにもならず、言語が本来の力を発揮できたとき、文化の変化を支えると思っています。日本の開港の時代において発揮された「日本語の力」もまた、「言語が文化を大いに変えた」手本ではないでしょうか。

言語というのは、単に存在しているだけではその真価を発揮できません。言語としての役割をちゃんと果たしているかどうかが大事です。その言語システムに精通した一部の人たちが、言語学を研究するのは、もちろん重要で必要なことです。

でも、さらに重要なのは、その文化の中を生きる普通の人たちがその言語を理解しているのか、分かりやすく言えば読み書きできるかどうかです。その力が、文化、文明そのものを、支え、変えていきます。たまに耳にする「英語もいいけどまずは自国語をしっかり身につけよう」という類《たぐい》の話に、私は全面的に同意しています。

思えば、キリスト教がカトリックとプロテスタントに分かれた大きなきっかけとなった、十六世紀の宗教改革でありますが、これは印刷技術の発展で聖書が普及したことが、大きな成功要因でした。それまでは、聖職者でもないかぎり、聖書を持っていることはそうありませんでした。だから、聖職者たちが聖書に書いてあるとおりに生きているのか、民が判断できる力もまた、弱かったわけです。

でも、印刷技術の発展だけでは、改革は無理です。民が、その聖書を「読む」ことが出来なければ、意味がありません。そう思うと、宗教改革の後の時代を支えたのは、十六世紀から本格的に上昇した、西洋の識字率のおかげだという見方もできるでしょう。

西ヨーロッパの場合、十六世紀に都市部住民の識字率が一桁から五十％近くまで一気に上がった、という統計もあります。五十％なら、少なくとも都市部では、一つの世帯に字が読める人が一人はいるということでしょう。

また、一部の国で義務教育が始まったのも、十六世紀でした。これらのデータを、改革から引き離して考えることは出来ません。俗な言い方をすると、どんな改革だろうと、

「国民の頭がデカくなる」こそが、もっとも重要な成功要因なのです。

韓国の一九三〇年の「非識字率」は八十%

まだ併合時代だった一九二八年、三月二十九日付の『東亜日報』には、『東亜日報』が独自で計画していた「文盲退治運動」（原文ママ）関連の記事が載っています。韓国ではいまでも普通に使う言葉ですが、日本では失礼な表現だと聞きましたので、以下、本書の訳では、「非識字者」及び「非識字率」と致します。

このキャンペーンのため、『東亜日報』は無数のポスターと、少年軍数千人の行進、飛行機からのビラ散布などを計画していました。でも、このイベントは当時の警察組織だった「警務局」によって中止となります。その理由は、「ポスターが共産主義っぽい」「少年軍の行進など、識字普及の趣旨でやるものではない」などなどです。

ここでいう少年軍というのは、少年たちに軍服のようなものを着せて、軍事パレードのように街を行進させることです。何かをやるという意志を示すために、軍人のものまねというか、コスプレというか、そういうものが社会的説得力を持っていたからです。

『東亜日報』もこれらの理由を紙面で説明し、中止に同意した、期待していた人たちに申し訳ない、と書いていています。いや、そんなイベントをするなら事前に許可を得ておきなさい、と言いたいところです。集会関連で問題発生が多い韓国だけに、九十二年前からあまり変わってない気もします。

ですが、その中に、こういう内容が見えます。「朝鮮の中の八割の人が、文に盲な人たちである」。ここでいう「文」とは、基本的に「国文」（ハングル）のことです。そもそも、原文も朝鮮語、すなわちハングルと漢字表記を組み合わせて書いてあります。

仮にも「文官だけが出世できる国」だった朝鮮。併合されてから二十年経たずの一九二八年。いくらなんでも八割は高すぎるのではないかと思って、少し調べてみたら、韓国統計庁のデジタルアーカイブに、一九三〇年の国勢調査データが残っていました。デジタルと言っても、数字だけデジタル化して書き写したもので、お世辞にも読みやすいものではありませんでしたが……なんとか、一九三〇年の識字率調査結果を理解することは出来ました。

朝鮮半島に限られる範囲で、調査人数の中で、朝鮮人は計千六百五十八万二千五百二十一人。男性が八百四十四万五千八百九十一人、女性が八百十三万六千六百三十人で、識字率の話ですから、全て「六歳以上」だけ引用します。

その中で、「カナ（日本語）」と「国文（ハングル）」両方が読み書きできる人は八・三六％。カナだけ出来る人は〇・〇四％。国文だけ出来る人は十九％。カナも国文も出来ない人は七十二・五％でした。

考慮すべきことはいろいろあるでしょう。すべての項目で男性より女性の識字率が圧倒的に低いこと。そして、これは一九六〇年代の韓国でもそうでしたが、ちゃんと都会で仕事する人でもないと、字の読み書きをさほど重要だと思わなかったこと、などなどです。とはいえ、様々な変数を考えても、確かに、字の読み書きが出来ない人が、七割以上いたのは事実のようです。

こんな話をすると、特に韓国では、「日帝時代に朝鮮人の識字率は低かった！　ハングルが弾圧されたからだ！　日本は悪い！」という展開になりがちです。韓国ではそれが定説、いや「聖論」と言ってもいいほど、異論を提起してはいけない正論になっていますから。でも、当時の新聞そのものがちゃんとハングルで書いてある時点で、説得力がありません。

それに、併合前にちゃんと字が読める状態だったなら、併合から二十年経たずで「七割以上が非識字」になることはありえません。同じ調査で年齢別のデータもありましたが、四十代以上の人たちも、識字率が特に高かったわけではありません。むしろ、一九三〇年に八％以上の人が「日本語も朝鮮語も出来る」というデータのほうが、凄《すご》いのではないか、とも思えます。ちゃんとした教育機関が機能しないと、こうはなりません。

日本語にあった再構成、再創造の力

ここまでデータ化された統計はさすがに珍しいですが、朝鮮時代の識字率については、韓国内でも様々な意見が出ています。根拠が微妙だし、私が自分で調べてみたわけでもないので、本書では簡略に紹介するに留めますが、「一九一〇年で識字率は約六％だった」とか、「朝鮮末期時点で九十五％は非識字者だった」という極端な話をする人もいます。「一九二八年の記事で八割」と記事になっていた朝鮮の非識字率ですが、時間を遡《さかのぼ》れば遡るほど、その表現が「濃く」なります。

例えば、同じ『東亜日報』でも、一九二二年一月五日の社説「教育に徹底せよ」には、「日常の意思疎通に必要な一枚の手紙はおろか、諺文（ハングル）の字一つがちゃんと読める人が、百人に一人もいないと言うなら、さすがに言いすぎだろうか」という一行があります。

さすがに百人に一人は慣用的な表現の類だと思われますが、字が読み書きできる人は非常に少なかった、とは推測できます。そもそも、朝鮮時代の識字率に関するデータがこれといって無いため、推測しか出来ません。朝鮮時代には人口調査データすらちゃんと残っていないので、識字率の調査を期待するのは無理です。

しかし、このような主張は「日本の侵略に正当性を与えるようなものだ」と反論されて潰されるのがオチです。むしろ、韓国側からは、こんな主張が目立ちます。「朝鮮末期にもっと有能な王がいたなら、日本ではなく朝鮮が先に鎖国をやめ、強大国になったはずだ」。中には、「南北分断も無かったはずだ」「朝鮮民族は争いを嫌うから、日本のように侵略戦争を起こすこともなかっただろう」など、異世界を扱ったライトノベルみたいな内容もよく出てきます。

ほとんどはネット掲示板や個人ブログでの話ですが、たまに、教授など専門家を名乗る人たちが書いた書籍や、大手新聞記事、寄稿文などで、同じ話を目にすることもあります。何かあればすぐ弾劾《だんがい》がどうとか騒ぐのもそうですが、「経済が悪いのも雨が降らないのも、王のせいだ」とする韓国（朝鮮）古くからの悪い癖が、まだ直っていないのかもしれません。

では、もし朝鮮末期に、朝鮮の王が、急に謎の力に覚醒して、超進化を遂げて、または宇宙から飛来した未確認飛行物体による改造手術か何か（どうでもいい）で、とつぜん時代の流れと朝鮮の立場が読み取れる素晴らしい王になったと仮定してみましょう。

高宗《コジョン》などは外国人顧問から「高宗は、賄賂《わいろ》さえもらえればどんな願いでも通す人だ」と記された人ですが、仮定なら何でもできます。どんな超設定でもいいから、朝鮮の王が、「血を流しながら自らの信念を貫いて戦い、内部改革を成し遂げ、外国の文物を成功的に取り入れ、それを朝鮮に合う形で再創造しなければならない」と決心して相応の努力をしたとしましょう。

では、それで朝鮮が凄《すご》い国になれたのでしょうか。残念ながら、どれだけ設定を無視して物語を組み立てても、無理です。

外国の文物だろうが何だろうが、それは他国でそのまま適用できるものではありません。独自の文明を持っている国なら、なおさらです。開港が必要だった幕末の頃、その外国の文物が日本に入ってきて、日本内で再構成、再創造できたのは、「日本語の力」無しには語れません。

外国との交流のもと、日本には多くの新しい日本語が生まれました。その日本語があったからこそ、日本は外国の文物を受け入れ、それについて考え、再構成し、日本に合わせることができました。一部の偉い人たちだけが「字が読める」社会では、それは不可能です。

韓国には「寺子屋」はなかった

古い時代の日本の識字率に関しても、いろいろ異見があります。でも、朝鮮時代のそれとは真逆で、江戸時代の日本の識字率は相当高く、武士階級だけでなく、農商工などの民も、多くの人が字の読み書きができた、と言われています。都市地域に限っては、日本の識字率は七割とも、八割とも言うし、世界一だったという話もあります。

江戸時代は、日本で「文書」が本格的に普及された時代でもあります。実際、江戸時代には、商業の発展、社会の多様化、村を一つの単位にして租税義務を果たす村請《むらうけ》制度など、人々が文書の重要性に気づく多くの要因がありました。寺子屋と総称されるインフラも、施設によるものの、字を学ぶにおいて身分による制限などはありませんでした。

基本的に、官吏を登用するための儒教関連の筆記試験「科挙《カゴ》」での合格を目的として郷《ヒャン》校《ギョ》や書院《ソウォン》などの教育施設が普及した朝鮮とは、その範囲が大いに違います。

韓国ドラマなどをよくご覧の方なら、「韓国には書堂《ソダン》という教育施設があったはずですが」と反論されるかもしれません。身分の低い子でも、書堂に通いながら字を学ぶ姿が、韓国の歴史ドラマなどによく出てきます。

確かにそんな施設がありましたが、ドラマの中のイメージとは随分《ずいぶん》違います。実際の書堂の目的は、本格的に科挙合格を目指す郷校や書院に入る前に、基本的な儒教関連教育を施す場所として、郷校に付属する形のもので、身分の低い子が通えるところではありませんでした。

当時の朝鮮は、儒教徒とも言える「儒林《ユリム》」たちが、実質的に社会の支配勢力でした。貴族である両班《ヤンバン》だからといって儒林になれるわけではありませんが、儒林は両班でなければまず無理でした。いわば、貴族の中の貴族というところです。

「先祖の霊がうるさいと嫌がる」という理由で鉄道や道路の建設に反対していたのも、日本や清《しん》（中国の清国）、欧米勢力さえも「野蛮人の国」として見下し、明《みん》（中国の明国）皇帝への祭祀を捧げる資格があるのは清ではなく朝鮮だと信じ、併合時代になってからも這いつくばって明皇帝の墓まで登り祭祀を捧げ、その管理費を周辺の農民たちからカツアゲしていたのも、彼らです。

「漢字ハングル混合文」を考案した福沢諭吉

以下、朝鮮半島の儒教関連で批判的意見が多く、韓国では親日派売国奴と叩かれている、チョン・ギュジェ氏の記事です。チョン氏は、いまはネットメディア「ペン アンド マイク」の主筆で、韓国の「反日思想」に批判的なスタンスを取っている一人でもあります。

〈……事大主義だけが頼りだった朱子学の巨頭ソン・シヨルの遺言により萬東廟《マンドンミョ》という祠《し》堂《どう》を作り、明の皇帝に祭祀を捧げていたのが、儒林だ。彼らは、農民たちから祭祀の費用まで略奪していった。萬東廟まで登る階段は、幅が狭く、急だ。そこは、誰もが這いずりながら登らないといけなかった……この奇妙な時代錯誤が終わったのは、明も清もなくなり、併合されてから数年経った、一九一七年だった。一時、韓国の教科書はこれを「日本の文化侵奪」と書いていた。時代錯誤と文化侵奪、どちらだろうか？　一九三七年十二月に発行された総督府の機関紙『京城《キョンソン》日報』は、儒林十人が萬東廟に忍び込み、祭祀を捧げたことを、実に同情する記録を残している。今日のタリバンや北朝鮮のように、朝鮮は自分ではもうどうしようもない、精神も物質も貧困な国だった……植民地近代化でなければ、別のどんな近代化が可能だったというのだ。自分の失敗からは目をそらし、被害意識だけ強調するバカバカしい民族主義教科書は、もうやめる時が来た。歴史から何も学ばないという馬鹿の愚かさであり、自分しか知らない朱子学らしさだ〉

（二〇〇八年四月七日／『韓国経済』）

そんな彼らが、身分の低い人たちに教育機関を開放していたとは、とても思えません。特に、朝鮮の支配勢力は、まず漢文（漢字）が読めないと話にならなかったため、その基礎となる「千字文」などを書堂で子どもたちに教え、それから書院で勉強するようにしました。ハングルに対しては、「諺文（俗なる文字）」と見下しました。よく「朝鮮にハングルが普及したのは併合時代だった」という意見を目にしますが、それもそのはずです。

二〇一〇年八月十八日「ＭＳＮ産経ニュース」：「拓殖大学客員教授・藤岡信勝　日本がハングルを学校で教えた」にも、同じ指摘が出てきます。

〈……李朝時代の朝鮮では、王宮に仕える一握りの官僚や知識人が漢文で読み書きをし、他の民衆はそれができないままに放置されていた。ハングルは十五世紀に発明されていたが、文字を独占していた特権階層の人々の反対で使われていなかった。それを再発見し、日本の漢字仮名まじり文に倣《なら》って、「漢字ハングル混合文」を考案したのは福沢諭吉だっ

た……〉

いまの韓国語は、漢字表記はしなくなりましたが、基本的にハングルと漢字の組み合わせで出来ています。その基本が、併合時代に作られ、普及したわけです。

日本と韓国の絶対的な力の差は、言語に尽きる

このように、手に入るいくつかの情報の欠片《かけら》が繋《つな》がって浮き彫りになってくる真実は、当時の日本と朝鮮の、言語という「力」の差です。朝鮮末期、ちゃんと字が読み書きできる人は、どれぐらいいたのでしょうか。特に、「意味」を強調する漢字がちゃんと読める人は、どれぐらいいたのでしょうか。

王が超進化を成し遂げて賢王、聖王になったとして、当時の朝鮮が近代国家として生まれ変わるために必要だった、新しい文物についての情報を、「字」によって得られる人は、どれだけいたのでしょうか。

それが、日本と韓国の絶対的な差でした。指導層が有能か無能かも重要ではあるでしょうが、日本では、民の力が文化の力になり、それがそのまま日本語の力になり、日本は自

主的な列強へと進化でき、朝鮮は受動的な進化に身を任せるしかありませんでした。

そして、受動的な進化はそれからも止まらず、軍政、分断、急激な資本主義の導入、時代遅れの自民族中心主義や儒教思想と現実との乖離、そして「文化として固着されたものは制度が変わっただけでは変わらない」という苦しみは続き、いまの時代を生きている人たちとて、その苦しみから自由になれないでいます。

韓国では、「日帝残滓《ざんし》」という名分のもと、言葉が使用禁止、または新しい言葉で代替される事例が続出しています。

最近の事例を一つ紹介しますと、二〇二〇年二月、韓国で「憲兵」という言葉が消えました。いわゆる日帝残滓、併合時代の用語である憲兵を使うのは韓民族にとって恥ずかしいことだから、憲兵という言葉を無くし、「軍事警察」にするというのです。

表面的にはそうなっているし、市民団体やネットユーザーたちは「また一つ、日帝残滓の殲滅《せんめつ》に成功した！」と大喜びでしたが、いざ国防部の公式ブリーフィングでは、妙にニュアンスが違っていました。

「憲兵という言葉が日本で先に使われたし、植民地時代の憲兵はイメージも悪く、憲兵と書くとどんな仕事をするのか不明瞭であるため、公式名称を軍事警察に変えた」というのです。

なぜ「日本が作った用語だから潰した」とハッキリ言えないのでしょうか。日本との関係を気にしているのでしょうか。理由は簡単で、実は「警察」も日本で作られた言葉だからです。だから、日帝残滓がどうとかと公式で言うことはできません。

福沢諭吉氏が示した「ハングル漢字混用」の効果は絶大で、そのまま韓国語の基本となりました。私は随分前から「韓国人が『一方的に韓国（朝鮮半島）が日本に文化を伝えた』と主張しているのは、近代からの全ての文化が日本から入ってきたことに対するコンプレックス反応である」と拙著やブログなどで主張してきました。

韓国語の基本となるハングル・漢字混用とて、例外ではなかったわけです。漢字を廃止したいまでも、韓国語の中の漢字が消えたわけではありません。表記をハングルにしているだけです。

韓国語から日本語の影響を排除したら、「あっ」「おっ」しか言えなくなる

韓国では、漢字に由来した言葉を「漢字語（ハンジャオ）」と言います。例えば、「ソルミョンハダ（日本語の「説明する」）」の場合、ソルミョンは漢字「説明」のままで、ハダ

は「〜する」というもっとも基本的な動詞です。

だから「ソルミョンハダ（説明する）」は、韓国語の文法的には「漢字語」になります。このように、漢字に「する」を付けるだけで漢字語になるわけですから、韓国語で漢字語が占める比重は想像を絶します。

辞典によって差はあるでしょうけど、国語（韓国語）辞典には五十万語前後の言葉が載っており、その五十五％程度が、漢字語です。例えば『標準国語大辞典』（二〇一六年基準）では、国語（韓国語）においての漢字語の比率は、約五十七％です。韓国語の語彙《ごい》の七十％は漢字由来という分析もあります。

言論人出身の作家コ・ジョンソク氏の『感染された言語』という本によると、その漢字語の半分以上は、日本で作られた言葉です。先の例えだと、説明を「ソル（説）ミョン（明）」にして、漢字の部分の「読み」を韓国語読みにしただけです。これですから、日本が作った言葉だからといって全部潰すと、エライことになってしまうわけです。

コ・ジョンソク氏は著書で多くの漢字語を並べながら「これが全部、実は日本で作られた言葉です」としながら、韓国語から日本の影響を取り除くのは不可能だと指摘し、韓国語から日本語、特に日本由来の漢字語の影響を完全に取り除くなら、韓国人は「あっ」や

「おっ」しか言えなくなるだろう、と書いています。

コ氏はこのような主張のせいで、一部で「日帝残滓の精算を邪魔する悪人」と叩かれていますが、氏は親日でも反日でもありません。彼は、このように日本語や外国語の影響を強く受けたことを「感染」としながらも、「私は、いまの感染されたままの韓国語がとても愛おしい」と書いています。ありのままでいい、というのです。

日本の~化、~的、~性――「接辞型漢字語」は世紀の大発明品

それに、「単語」レベルの話でもありません。日本のうどんが好きすぎて、外交官からうどん屋に変身した変わった経歴を持つ元外交官、シン・サンモク氏は、同じ趣旨として、「接辞型漢字語」の存在を指摘しています。接辞型漢字語とは何なのかというと、~化、~式、~的、~性、~型、~観、~度などのことです。

例えば「modern」を「近代」と訳するなら、これらの接辞型漢字語を用いることで、「modernity」を「近代『性』」、「modernism」を「近代『主義』」にすることが出来ます。これは、従来の漢字の運用からはとうてい出来なかった世紀の大発明品であり、日本がこの接辞型漢字語を発明したおかげで、文学から科学にいたるまでの様々な概念を、日本語

に訳せるようになった、というのです。

そして、それがそのまま流入した韓国も、同じ恵みを享受することができた、と。考えてみれば、~的、~性、~観などの字が無いと、外国語の訳はおろか、私たちの暮らしにおいての言語の力は、大いに弱体化してしまうでしょう。日本語だけでなく、韓国語でも同じです。単語の問題ではなく、言語としてのシステムそのものが揺らいでしまうでしょう。

シン・サンモク氏は、日本にとって、前近代と近代を最も明確に区分する境界線の一つこそがこの接辞型漢字語を活用した「概念拡張言語体系」の登場であり、韓国語は、その恵みによって近代化できたと主張しています。そんな歴史は考えず、日帝残滓を完全に清算したいなら、韓国を前近代まで巻き戻す必要があるだろう、とも。

「訳」さないと、大勢の人に伝えることが出来ません。もちろん、その「人」たちが、字が読めないなら意味がありません。素晴らしい訳、ちゃんと読める民。その繋がりこそが、日本の近代化の成功を支えたことは、言うまでもないでしょう。文化が言語を進化させることもあるでしょうけど、言語の力が文化を進化させることもまた、そう珍しいことではありません。

第三章 崩壊した韓国の「敬語システム」

韓国の「敬語システム」に何が起きているのか

本章でまず紹介したいのは、日本語と韓国語の差、韓国語ではうまく表せない日本語の特徴、特に「敬」に関する話です。

韓国語も敬語が凄《すご》く発達した言語です。でも、他人に敬を伝えるために存在したはずの敬語システムが、いまでは、多くの人々を傷つけるようになりました。

敬の話は、本書冒頭の「神」の話に繋《つな》がります。なぜ日本は、これだけ多くの神様が人と一緒に暮らしているのか。なぜ日本には神々が宿り、神国と呼ばれるようになったのか。それは、人が「敬」において嘘をつかないからです。ご存じですか。「神に敬を示します」としながら人への敬を示さない人は、嘘つきです。物を大事に出来ない人は、人を大事に出来ません。人を大事にできない人は、神を大事に出来ません。神は、そんな人たちと一緒に住むことを望みません。嘘つきと一緒に住みたいと思う人はいないでしょう。だから、神様もそうは思いません。

神と人間の関係は、そこまでかけ離れたものではありません。善悪で二分されていない日本の神様は、特にそうです。人間もまた、同じように二元論的に分けられる存在ではないからです。

さあ、それでは、最近の韓国語の敬語システムに、何が起きているのか。そんな話に移りましょう。

「尊待《ジョンデ》」「下待《ハデ》する」「平待《ピョンデ》」

私が、「韓国では、敬語をちゃんと使わない人が多くて社会問題になっている」と言うと、読者の皆さんは、どう思われますか。皆さんの中には、「えっ？　韓国って敬語いっぱいあるでしょう?」「この前、韓国に行ってきたけど、普通に韓国人も敬語使ってましたよ?」と驚かれる方もいることでしょう。ビジネスなどの理由で韓国人と結構頻繁に話している方なら、韓流ドラマのファン・元ファンの方なら、特にそうでしょう。

でも、これは本章だけでなく本書を通しての、ちょっとした「著者からのお願い（ハートマーク付き）」といったところですが、「ちゃんと使わない」からといって、「韓国語に敬語が無い」「韓国人は敬語をまったく使わない」という意味ではありません。普通にあるし、使うときは使います。仮にも儒教思想を信奉している韓国に、敬語がまったく無いはずがありません。

ここで社会問題というのは、日本で言う一般的な敬語関連の常識とはかけ離れた形で、敬語システムそのものが歪《ゆが》みつつあり、個人的にはどう考えても悪い方向に向かっている、いわば「崩壊しつつある」、という意味です。

敬語をまったく使わないから敬語システムが崩れることもあるでしょうけど、この場合、間違った形で使っての崩壊となります。文法が変わったという意味でもありません。ただ、実生活でその言葉を使う人たちが、自らの意志でその敬語システムを崩しています。

言語において敬語というのは、決して人の上下を決めつけるためだけに存在するものではありません。そんなものは、真の「敬」の意味を実現できません。とはいえ、あまり話が複雑になると困りますので、言語においての敬語を、三つのレベルに分けてみましょう。せっかくですから、韓国でよく使う「尊・下」の字をそのまま用います。

まず、始めに、「私」が「相手」に尊敬語を使う場合、私から相手への関係を「尊」に相応する「待」遇という意味で「尊待（ジョンデ）する」と言います。

次に、「私」が「相手」を見下す論調の言葉を使う場合、私から相手への関係を「下」への相応の「待」遇とし、「下待（ハデ）する」と言います。

最後に、「私」と「相手」が、同等な立場で、例えば友だち同士でタメ口で話し合う、または丁寧語など適切な敬語を使い合う仲なら、二人の関係は「平（ピョン）」とします。相応の待遇を「平待（ピョンデ）する」と言います。

韓国語に知識がある方なら、「尊待と下待なら聞いたことあるけど、平待というのもあるのか」と思われるかもしれません。実はそこが、本書の内容とも密接に関わっている部分ですが、尊待語と下待語は韓国語関連でよく目にしますが、「平待」はあまり議論の対象になりません。平待語は「平語」とも言います。

まとめますと、AとBの二人が会話するとして、A氏がB氏に尊敬語を使い、B氏はA氏に見下すような語調しかしないなら、AはBを尊待する、BはAを下待する、になります。AとBがこれといって上下区別なしに話し合う仲なら、それは平待し合う関係になります。分けようとすればもっと細かくできますが、本書での趣旨を論ずるにはこの三つのレベルで十分でしょう。

ビジネス関係や、集団内の職位による関係、または会ったばかりの人との会話（会ったばかりの人にタメ口をきく人はいないでしょう）を除外するなら、読者の皆さんの周辺には、どんな人がどんな人に対して、尊・平・下のうち、どんな語法、どんな論調を使っていますか。また、そのニュアンスはどうですか。

韓国語の敬語は、「お互いの序列を証明する」身分証明書

私が肌で感じた韓国語と日本語の敬語表現の差は、それらの方向性が、一方通行なのか、双方通行なのかにあります。韓国では、AがBを尊待すると、Bはかならず Aを下待します。AとBが尊待し合うことはまずありません。未成年の友だち同士でタメ口を使う（平待し合う）ことはもちろんあります。でも、本当にマブダチでもないかぎり、大人同士で「平」の関係で話し合う、お互いに尊敬語またはタメ口を使い合うことは、そうありません。

どれだけ些細なことでも、どれだけ下らないことでも、かならずAとB、二人はお互いの序列、上下を決めます。そして、それをお互いに確認し、ある種の釘を打っておくために、序列の低い人は高い人に尊待語を、高い人は低い人に下待語を使います。言わば、韓国語での敬語は、「お互いの序列を証明する」ための、身分証明書のようなものです。これが、少なくとも「実用」の中での、韓国語と日本語の「敬」の本質的な差です。

こう書いても、日本の皆さんにはピンと来ないでしょう。参考になればと思って、この問題に関する、専門家の寄稿文を一つ紹介します。著書や論文などで、韓国内の嫌悪（ヒ

ヨモ、相手へのヘイト表現）問題を指摘してきた、原州《ウォンジュ》大学の多文化学科キム・ジヘ教授が、市民記者として「オーマイニュース」（二〇〇九年六月十四日）に書いた寄稿文、「バンマル、彼らの身分社会」です。バンマルについては後述しますので、引用部分では普通に「タメ口」に訳しました。

〈……韓国人は、人に会えば、まず年齢を聞く。言葉遣いをどうすべきかを決めるため、すなわち相手の名前に「氏」を付けるべきか、文章に「です、ます」を付けるべきかを決めるには、年齢を知る必要があるからだ。年齢だけではない。韓国語で相手と会話を始めるには、その前に、相手について知っておかないといけないことが、あまりにも多い。職業、教育水準、結婚したかどうか、親や配偶者の職業、経済的能力、乗っている車の種類、住んでいる街、着ている服、などなど。もちろん、男か女かも会話の前に知っておくべき重要な要素だ。

職業といっても、韓国では全ての職業に貴賤があるため、その職業において、どれほどの職位にまで登ることが出来た人なのか、その点も知っておかなければならない。それらの項目で、これといって他人より優れたものが無かった場合、その人は、タメ口をきかれなければならない。私が「タメ口でいいですよ」と先にことわっておくことも無くはないが、ほとんどの場合、私にタメ口をきくかどうかは、私に話しかける人が一方的に決める。

だからこそ、だろうか。他人より上を行くものが「年齢」しか無い人たちは、わずか一、二年差にも、ものすごく敏感に反応する。いや、数カ月、数日の差すらも、重要である。一月に生まれた私のような人は、その前の年の十二月に生まれた人と友だちになるためには、「生まれた『年』はあなたより後ですが、早い時期（一月）に生まれましたので」と、かならず強調しておかなければならない。わずか数日の遅れで、その相手からずっと「下待」される関係にはなりたくないからだ……。

……いまの時代において、韓国語のタメ口というものは、社会においての関係ではなく、身分の違いを表わす。カースト制度のように、社会全体の固定された身分を意味するものではない。代わりに、韓国には、個人単位で勝手に決める身分階級がある。誰もが、自分自身も含めて、周りの人を一列で並べて序列を付けた身分階級である。階級といっても、生まれ持っていたものでもないので、その階級を作る責任も、各自にある。なのに、明確な基準も無く、年齢、職業、性別等に応じて、自分の勝手で決めてしまう。それは、極めて個人的な決定ではあるが、実は社会レベルで存在する偏見をそのまま反映している。タメロは、そうやって自分で作った自分の身分社会の中で、自分よりも低い立場の人にだけ使う言葉なのだ。朝鮮時代のような公式の身分制度はもう無くなったかもしれないが、タメロを使うことで作られる身分社会は、日常と分離することができない、生活そのものになってしまったのだ……〉

日本語ができるようになって気付いた「敬語」の真の意味

一言でいうと、「対等」の概念が無くなったわけです。社会レベルで、誰かは誰かの上で、誰かは誰かの下。そういう階級を作っておかないと、自分自身のアイデンティティーが見出《みいだ》せなくなってしまったのです。しかも、かなり勝手な、言い換えれば「自分の基準にまわりの人たちを巻き込む」形であるものの、誰もが位階秩序に基づいて世界を見ているから、個人レベルでその偏見に逆らったところで、どうにもなりません。

そして、その自分勝手な身分社会の身分証明書は、尊待か下待かの言語によって表われる、と。分かってはいたつもりでも、こうして書いていると、切なくなります。

本書にも何カ所か同じ趣旨を書いておきましたが、言語に優劣はありません。信仰にも文化にも優劣はありません。韓国人が「ハングルは世界でもっとも優秀な言語だ」と主張するのと同じく、私も「日本語が世界でもっとも優秀な言語だ」と言うつもりは毛頭ありません。そもそも、話せる言語が日本語と韓国語しかない私に、世界でもっとも優れた言語がどうとかを言う資格もありません。

本書ではしつこいほどに日本語と韓国語を比較していますが、それは「日本語ってば世界一優秀で他の言語なんかまじゴミ」「韓国語は低劣だよねー（ヒソヒソ）」と書くためではありません。ただ、私が「ありがとうございます」だけでは何かが足りないと思っていた、その「何か」について綴るための、過程です。

そのために、「韓国ではこうでした」という展開になっているだけで、別に日本語が韓国語より「上」で、韓国語は敬語も無い、使わない、礼儀の無い野蛮人たちの「下」な言語体系だ、敬語崩れたハングル○ね！　そう言いたいわけではありません。それでは、私も「敬の一方通行」を世に散らかしているだけの、同じ穴のムジナになってしまいます。

外国人が日本に来て、日本の文化にハマって、友だちに「日本では～だけど、ボクの国では～だったよ。私は日本のやり方のほうが好きだな」と話すのは、よくあることです。そんなものだと思ってください。

繰り返しになりますが、私が、私自分自身の基準で、考察という言葉を使うほど話せる言語は、日本語と韓国語だけです。英語の話も少しは出来ますが、かじった程度の知識だけで、なにより、私は英語圏の国に「住んだ」ことがありません。住んだこともない人がその国の言語を論ずるなんて、笑止億万。だから日本語と韓国語を比較することで、見えなかった何かを見出そうとしているわけです。

もちろん、私も、漢字を廃止するなど、韓国の言語体制の運用に大いに疑問を抱いているのは事実です。でも、それはまた別のところで語るべき事案でありましょう。

それでも、本当に「それでも」、ここで書かないといけないことがあります。私は、日本語が出来るようになって、本当に良かったと思っています。なぜなら、日本語が出来なかったなら、言語においての敬語の真の意味に、生涯、気づかなかったでしょうから。

だから、いまでも、私は誰かに「日本語と韓国語のどちらが好きですか？」と聞かれるなら、まよわず「日本語です」と即答します。その答えは私の権利行使であり、好きには上下もありません。

言語に「侮蔑《ぶべつ》」を込める人が増えるとどうなるか

本題に戻ります。なぜ韓国社会の敬語が身分証明書のようになってしまったのか。これでは、敬語がむしろ人への「侮蔑」をばらまくことになってしまいます。そんなことを望む人はいないはずなのに、なぜこうなったのか。

それもまた、言語のせいではありません。人の使い方の問題です。どの国の言語も、尊重されるべき立派な文明であるのは間違いありません。しかし、優劣が無いし善悪も無いだけに、その言語が進化する方向性を決めるのは、その社会の人間です。人が言語を変え、その変えられた言語がまた人を変えます。

人が言語に「敬」を込めると、その言語には敬のエネルギーが充満し、その言語圏の別の人にも敬たる概念を伝えます。その言語に包まれて、生まれ育つ人たちに、そのまま影響を及ぼします。言語に侮蔑を込める人が増えると、言語は侮蔑のエネルギーで人を変えます。

新しい「敬」の表現が作られることもあるにはありますが、新しい侮蔑表現が作られ、広がるのは、その数十倍は早い気がします。なぜでしょうか。侮蔑は、飽きるのが早いのでしょうか。敬を授かったとき、誰かにもっと敬を返さないといけないと思う人より、侮蔑を受けたとき、誰かにさらに強い侮蔑を返さないといけないと思う人のほうが、ずっと多いからでしょうか。

人の意図が、そして感情が、言語の進化を「そういう」方向に急《せ》かしてしまいます。同じ言語で書かれた文でも、あるものは告訴の対象になり、あるものは愛読の対象になります。「何なのか（どんな存在か）」より、「どうなのか（どう使うか）」が大事なのです。

その進化の方向性が文化に与える影響力は、そしてその文化が社会の人たちに返す影響力は、絶対です。まるで、その影響力の中の人々は、逃げられない「空間」の中に閉じ込められたようになります。そうやって、敬も蔑も、結局は自分自身に返ってきます。「跳弾」というものをご存じですか。銃弾が壁などにあたって跳ね返ることです。閉ざされた空間の中に放たれた言葉は、跳弾のように無数の人にあたって、物にあたって、そして神にもあたって、最初にそれを言い放った人のもとに返ってきます。それが敬だろうと、蔑だろうと。

「バンマル」は日本語でいう「タメロ」

韓国語からは、その結果として、対等の表現が、ほぼ消滅しています。尊待でないのは下待だ、という風潮となり、そのあいだの「平」にあたいする部分が消滅、いまでは、極端に攻撃的な言葉以外は、平も下と同じ意味でしかありません。二元化しました。

先のキム・ジヘ教授の寄稿文のタイトルにもありますが、ここで、韓国語でいう「バンマル」について論ずる必要がありましょう。韓国語は、相手には強い発音で聞こえる場合が多く、日本ではカタカナ表記で「パンマル」とも書くと聞きました。

釜山が韓国ではブサン、日本ではプサンなのと同じで、韓国人はバンと言ったつもりでも、日本人にはパンに聞こえるわけです。本書では「バンマル」にしました。バンマルは、日本語でいうとタメ口語調のことです。「なんでバンマルなんだよ（왜 반말이냐）」。韓国人が、相手の言い方を理由に喧嘩を始めるとき、よく使うフレーズです。

世界中にアニメオタクを量産した日本の有名アニメ作品『AKIRA』には、「さんをつけろよ」という有名なセリフがあります。暴走族のボス金田に対していつも劣等感を抱いていた鉄雄という少年が、急に強大な力を手に入れ、金田を呼び捨てにして、言わば「下待」します。すると、怒った金田がこう言います。「さんをつけろよデコ助野郎！」。そこでいう「さんをつけろよ」が、「なんでバンマルなんだよ」と似たような表現だと言えるでしょう。韓国ではアニメではなく、リアルでよく喧嘩になります。

文法的には、バンマルは尊でも下でもなく、平待の語法です。語源からして、「半」の字を使って、「半の言葉（尊と下の真ん中の言葉）」、すなわち「バン（半）マル（言）」です。バンマルは、日本語に直訳するのは容易ではありませんが、一応、対等な仲で使う言葉、例えば友だちの間で使うものだから、日本語の「タメ口」がもっとも適切だと思われます。

動詞「する（하다）」を命令形にするとどうなるか

それでは、絶対にテストに出ないシンシアリーの韓国語講座、いきます。以下、動詞「する（하다）」を命令形にして説明致しますと、尊待、バンマル（平待）、下待はこんなパターンになります。

尊待の場合は、「ハセヨ（하세요）」または「ハシプシオ（하십시오）」。日本語にすると「なされ」になりますが、意味的に、ハセヨは日本語の「しなさい」、ハシプシオは「〜してください」のほうが実用的な訳になるでしょう。バンマルの場合は、「ヘ（해）」または「ハゲ（하게）」です。

「ヘ」は日本語の「しろ」に直訳して問題ありません。ただ、ニュアンスの差が結構あります。例えば母親が子に遊んでばかりしないで勉強しろと促すとき、日本語では「勉強しなさい」と「勉強しろ」がともに成立しますが、韓国では親が子に尊待表現となる「なさい」を使うことはまず無いので、「勉強しろ」がずっと自然な訳として成立します。

この場合の、母親が子に使う日本語の「〜しなさい」は、韓国語の「〜ハゲ」に近い表現です。でも、「〜ハゲ」式の表現は、時代劇で親しいソンビ（文官）同士が話し合うときにはよく出てきますが、最近はあまり聞かなくなりました。「〜したらどうだろうか」「〜したほうがいいと思うのだが」というニュアンスで、「へ（しろ）」よりは優しさが感じられる表現である、いや「であった」と、私は思っています。髪の毛は関係ないので誤解しないでください。

下待の場合は、「ヘラ（해라）」になります。ギリシャ神話のゼウスの奥さんは関係ないので誤解しないでください。韓国で多くの下待表現の基本型が「ヘラ体」（ヘラを語尾とする）であり、下待表現の代表格です。こちらは、日本語には直訳が難しいです。

別に「しろ」にして問題があるわけではありませんし、ドラマや映画の日本語字幕でも「しろ」になっています。でも、これは、「一般的に使われる日本語の『しろ』より下待の表現が無い」から、そもそも日本語には相手を侮蔑する言葉がそう無いからです。

実は、ヘラはもっと相手を見下す、「蔑」の意が込められています。「ヘラ」のような韓国語の下待語を、ニュアンスまでそのままに日本語に直訳するのは、容易ではありません。

時代劇などで、身分の高い人が、低い人に上から目線で「しろ」「やれ」と言うシーンがありますよね。それと似ていると言えます。失礼ながら、「しやがれ」という日本語が、ニュアンス的に似ている気もします。

でも、使う場合もあるにはあると聞きますが、日本で「しやがれ」をリアルで耳にしたことは一度もありません。どちらかというと、日本の場合は、言われた人より、言った人が自分で恥ずかしいと思ってしまうようです。

優劣のない言語が、社会通念によって変化

あまり親しくない人からタメ口を使われて嬉《うれ》しい人などいないでしょう。しかし、そういう異常なシチュエーション以外には、バンマルの役目はまさしく「半」、尊と下のバランス取りでした。

ですが、いつからか、このバンマルは「下待」に飲み込まれてしまいました。韓国人でも、若い……いや、私もまだ若いですが……八〇年代以降に生まれた人なら、「へ（バンマル）」と「ヘラ（下待）」を、「どちらも相手を下待する語法だ」と勘違いする人が多いでしょう。なにせ、ある人が、相手に「ヘラ（下待）」と言っても「へ（バンマル）」と言

っても、相手が受け取る「言葉の社会通念」が、大して変わらなくなりました。

あえて、極端な例えにしてみます。皆さん、頭の中で、「『〜しろ』が相手への侮蔑表現になってしまった日本社会」を描いてみてください。文法は何も変わらなくても、社会的にそういう通念が作られてしまったとします。

誰かに「なされ」と言わなかっただけで、相手が、「さんをつけろよ」という感じで怒ったり、「こんな日本は嫌いだ」と鬱《うつ》になったりするなら、皆さんは、そんな社会をどう思われますか。韓国語の敬語崩壊が、そんな感じで進みつつあります。いや、疲れます。マジで。

韓国語の文法が変わったのか？　バンマルの文法的立ち位置が変わったのか？　そうではありません。時代の流れとともに、具体的に言わなくても特定の観念的意味が伝わる、新しい社会の通念が出来たのです。

例えば韓国語には「ヌルグニ（늙은이、老いた人）」という言葉があります。これは、日本語に直訳すると微妙ですが、実は「老いた」に「イ」（ヌルグン・イ）をつけて人を呼ぶのは、尊敬表現になります。いまでも、老人への敬称である漢字「翁」を韓国の辞典で探してみると、音（読み方）は「オン」、訓（意味）は「ヌルグニ」となっています。

でも、儒教社会の韓国で、単に歳を取っただけで偉そうにする人が増え、そんな老人たちへの蔑視を示す言葉として「ヌルグニ」が使われるようになりました。蔑視するために尊称を使う、ある種の反語法的表現だったのです。それがそのまま社会の「文脈」（通念によって意味が通じる）になり、いまでは、御老体をヌルグニと呼ぶのは、ものすごく失礼なことになっています。三十～四十代の韓国人に、ヌルグニが実は尊称だと言うと、ありえないと笑われるでしょう。

ちゃんとした「尊」以外は、平も下も同じ。「バンマルは下待と同じだ」という通念の空間。先のキム・ジへ教授の寄稿文も、それをよく表わしています。文法は変わっていなくても、実生活において、具体的に言わなくても通じる、「文脈」としての通念が作られたのです。言語そのものに優劣が無くても、他人との優劣を示したがる人たちが、思わしくない使い方をしたせいで、優劣に特化した形に進化しました。

韓国社会は、何もかも極端に対立する二つの集団に分かれ、「中道」は不要とされる特徴を持っていますが、言語とて例外ではなかったわけです。そういう社会になると、結局は誰でもその下待に含まれてしまうだけでしょうに。時代の変化だと思ってしまえばそれだけですが、それでも悲しいことです。

世界で韓国語聖書だけの訳し方「イエス尊待法」

韓国語がどれだけ「二元論的」になっているのか、人の「上」と「下」をどれだけ二元論的に分けているのか。韓国人がこの尊待・下待を、どれだけ克明に分け、「克明に分けるのが、道徳であり礼節だ」と思っているのか。実にわかりやすい事例を一つ紹介します。

なんと、聖書です。分厚くて重いあの本です。足指に落とすとちょっとだけヘル(ヘブンか?)に行けるあの聖書です(経験談)。言うまでもなく、聖書は、世界各国で愛され、様々な言語で訳され、出版されています。

世界中の聖書、この場合はイエス・キリストがこの世に降臨された後の話を記録した新約聖書となりますが、その世界各国版聖書の中で、イエスが相手を自分より「下の格」として話す語調の聖書は、一つしかありません。韓国の聖書です。

一つ分かりやすいところを取り上げますと、マタイの福音書四章十九節がいいでしょう。イエス・キリストが、のちに彼の弟子になる二人の漁師に、こう話すシーンです。

〈イエスは彼らに言われた、「わたしについてきなさい。あなたがたを、人間をとる漁師

にしてあげよう」〉

人をとる漁師というのは、人々を神様の国に導くことが出来る教えを世に伝える、イエスの弟子にするという意味です。当時、漁師というのは、本当に肉体労働以外は何も出来ない人たちでした。イエスは、そんな二人を選んだのです。

この場面は、イエスが人の貴賤や学歴などを問わないという意味合いも見出すことができます。実際、彼の十二人の弟子の中には、博識な医師（ルカ）も漁師（ペテロ）も、悪者と叩かれながらも税金を徴収する徴税人（マタイ）もいました。しかもその漁師の一人ペテロは、後にイエスの一番弟子と言われるようになるため、イエスとペテロの初めての出会いとしても、重要とされるエピソードです。

バチカン市国を紹介する写真には、いつも大きな広場を持つ聖堂が真ん中に映っていますが、それがサン・ピエトロ（聖ペテロ）大聖堂で、いまでも無数の観光客をしっかり「とって」います。

日本語聖書では、基本的に、イエスのセリフは「～なさい、～です・ます」で訳されています。物凄い尊敬語を使うわけではないけど、丁寧で、命令調ではなく、タメ口もききません。どことなく女性らしいというか、優しい、気品のあるイメージの論調です。日本のアニメで言えば、間違いなく良い家柄の美形生徒会長キャラのイメージです。

英語では「Come with me」や「I will teach you to catch men」などで、極めて普通の表現になっています。敬語表現ではないからといって無礼な感じではなく、普通の会話のニュアンスです。余談ですが、イエスは弟子たちを「友」とよく称していました。こういう訳、国柄がよく出ていて、実に面白いものです。

ですが、韓国語聖書には、こうなっています。

〈僕について来い。僕がお前たちを、人間をとる漁師にしてやる（「나를 따라오라。내가 너희를 사람을 낚는 어부가 되게 하리라〜」）〉

（韓国語共同翻訳新約聖書二〇〇五年改正版、マタイの福音書四章十九節の直訳）

語調そのものがどことなく上から目線なのもそうですが、「あなたたち」ではなく「お前たち」と言っているのが、大きな特徴です。韓国語には一般的な一人称が「저（私）」と「나（僕、俺）」しかないので「僕」と訳しましたが、率直に言って、「俺」にしても問

題なく、時代劇で王が一人称としてよく使う「余が～」と訳してもいいニュアンスです。日本のアニメ的に言うと、偉そうにして無視されるザコキャラのイメージです。

これは、外国語の聖書を韓国語に訳すときに、イエスに対する尊待のつもりで、こうなったと言われています。イエスを偉い存在として表現するため、他人に下待するイメージにしたのです。まるで、王のように。

だから韓国では、韓国語聖書だけのこのユニークな訳し方を「イエス尊待法」と言います。さすがに韓国内でも、これは韓国語聖書翻訳において大きな問題だと指摘されています。しかし、なかなか直りません。直るどころか、悪化しています。

改正前の聖書では、それでも「ついてくるがいい」な感じだったのに、いまは「ついてこい」になっていますから。このまま行けば、五十年後には「ついてこいっつってんだろうが漁師どもが」になっているかもしれない……かどうかはともかく。

こんな尊待をされて、イエス・キリストが喜ぶのでしょうか。イエスがタメ口を叩く世界観。それがイエスへの尊待とされる世界観。韓国人の「敬語の世界」がどんなものなのかが、よく表れています。

韓国語に「〜さん」にあたいする言葉はない

二〇一九年の夏、京都の伏見稲荷大社《ふしみいなりたいしゃ》に、ご祈祷を受けるために訪れたときのことです。韓国人がご祈祷を受けに来るのは珍しいようで、神楽《かぐら》の場所に移動する前、神職の方が声をかけてくれました。普通に「日本はどうですか」「日本語お上手ですね」などの会話で、当時話題（?）だった輸出管理厳格化の話もちょっとだけあったりしましたが、その際に私が驚いたのは、普通の人ならともかく、神職の方が、神様のことを「お稲荷さん」と言っていたことです。お〜さんですから尊敬語表現ではありますが、神様に「様」を付けないなんて。

日本語では自分側の人を紹介するとき、お父さんを父というなど、謙譲な表現を使うのはわかっていました。韓国語には無い敬語表現です。でも、まさか、神職の方が神様を「様」と呼ばないなんて、これは本当に凄《すご》いことだな、と思わずにはいられませんでした。人に適用する敬語法の概念が、神様にも適用されているんだな、と。

この話は別の章でまた致しますが、とにかく、韓国のイエス尊待法の観点からすると、天罰ものかもしれません。

日本の「敬語の世界」でまた驚かされるのは、大人が子供に対し、丁寧語などを使うことです。そこがまた、韓国語には訳せない部分でもあります。日本語では、先生が生徒に、親が子に、「です」や「ます」を付けたり、お前ではなく「貴方《あなた》」と言ったりしても、それは日常の中に自然な形で存在する日本語です。特別な場合だけではありません。別記無しで、普通に社会構成員たちの間で「これは問題無い表現だ」という感覚が共有されています。

日常生活の中で使われるこれらの日本語は、同じく日常の韓国では信じられないほど、幅広い相手に「敬」を与えます。ですから韓国語には、そのまま訳すことができません。いや、訳そのものはできるけど、出来上がった韓国語文章が、表現として不自然すぎます。「日本ではこんなシチュエーションでも敬語を使います」という説明でも付けないと、訳として落第点になります。それらのシチュエーションで、韓国語では尊敬語も丁寧語も使いません。使う理由がありません。

同じ流れで、もう一つ、個人的に「日本語の韓国語訳に困った経験」を紹介しますと、韓国語には日本語の「さん」が無い点です。日本では、同じクラスでも、そんなに親しくない間では敬語を使うことありますよね。「～さん」を付けたりします。そういうのも、韓国語への直訳は不可能です。韓国語に「氏」はかろうじて尊称の意味を保っていますが、「さん」にあたいする言葉はありません。「さん」が日本の敬語システムが持つ重要さを考えると、これもまた、意外なことです。

個人的に、日本語の「さん」は、「氏」よりもっと「やさしい敬称」だと理解しています。あ、そういえば、先に、『AKIRA』の「さんをつけろよ」というセリフを紹介しましたが、あれの韓国語訳はどうなるのか、ご存じですか?

シチュエーションからして、「様をつけろよ」になります。「氏」は、韓国でも尊称ではありますが、他人を見下すときに使うことが増えて、敬称として使うにはあまりにも微妙です。『AKIRA』のシチュエーションで「氏をつけろよ」という訳は、不自然すぎます。いずれ、韓国語の一般的な敬称は、「呼び捨て」と「様」の二択になるでしょう。

「バカ」(韓国語のバボ)の字が付く攻撃的な表現比較

日本の映画・アニメなどでは、もの凄く怒った人が、相手に「このバカヤロウ」と言うシーンがあります。でも、これもまた韓国語に訳すのはなかなか難しいです。意味がちゃんと伝わらないからです。

韓国人の訳者からすると、「あんなに怒っているのに、なんでひどいことを言わないの？」がまず疑問です。「バカヤロウでも日本では結構ひどい言葉ですよ」というと、韓国人は「えっ？　それってバボニョソック（バカ奴）の意味だろう？　それがどうした？」と不思議な顔をします。さすがに本書では詳しくは書けませんが、韓国語には、特に相手の親や下半身などに関する、ひどい単語がいろいろあります。

一例として「バカ」（韓国語のバボ）の字が付く攻撃的な表現を比べてみると、日本語では「バカな男という意味の表現」として相手本人をバカにするのが一般的です。しかし、韓国語では、主に「バボセッキ（バカ＋その息子という意味の侮蔑表現）」とし、その親をバカにするのが一般的です。親に侮蔑を向けることで、蔑の強度を高め、範囲を広げるのです。

このように、日本語と韓国語の「敬」は、適用範囲も、方向性も違います。日本語の「敬」は多元的で、広範囲で、双方向的です。韓国語は、二元論的で、範囲も限られ、一方通行です。

日本語は、敬なる語……言わば尊待が基本で、それ以外は使う場面が限られます。すなわち日本語は、メインの「尊」のためにサブの「尊ではないもの」が存在します。韓国語は、その逆です。この差があるから、日本語と韓国語が敬語法により作り出す「敬」の範囲は、全然違います。

日本語のほうが、遥かに広い、敬で満ちた空間を作ります。韓国語にも日本語にも敬語はあります。どちらにも、尊待と下待、またはそれに準ずる概念や表現はあります。しかし、それぞれの言語の使用によって社会に作られる「空間」は、韓国語の場合は「下」、日本語の場合は「尊」です。

言葉は、空間を作ります。私は、いままで書いてきた尊や下、敬などの概念、及びそれが社会構成員たちによって共有されるプロセスも、言語体系と文化の相互作用によって作られた、その文化圏特有の空間の一種だと思っています。

直接耳には届かないニュアンスや裏の意味、強いて言うならその言語体系の「行間」が、その空間を作ります。それは、文法や単語の表面的意味だけでは作られない巨大で抜かりのない空間です。

相手からひどい言葉を耳にしながら育った世代は、当然のように、そのひどい言葉を口にするようになります。それがどんどん広がって、社会レベルまで広がってしまうと、「そんなひどい言葉を使ってはいけません」と指摘する人がどんどん少なくなっていきます。下手をすると、「使ってはいけません」と指摘する人のほうが、「皆は使っているのになぜ使うなと言うのか。あなたは『ひどい』人だ」と言われるでしょう。

その空間の力は、想像を超えます。人の善悪の基準すらもひっくり返せる力が、込められています。単に単語の羅列からは想像もできない様々な効果を及ぼし、その空間の中の人々の精神を支配します。その空間に支配されている領域の人たちが、その空間から抜け出すのは、なかなか大変です。

さらに、大人たちによって決められたその空間の中で生まれ育った子どもたちは、その空間が「実は歪められたもの」という事実にすら気づくのが難しいでしょう。その空間にいる時間が長ければ長いほど、抜け出すのは難しくなります。他の国に引っ越しても、自分で歪みに気づかないかぎり、その呪縛から解き放たれるとは限りません。

敬語は「主従」ではなく「優しさ」の表現方法

韓国で暮らすようになった外国人は、ほぼ間違いなくこう言います。「韓国語って、本当に敬語が発達していますね」、と。それもそのはずで、例えば飲む（drink）はお父さんが飲もうが子供が飲もうが、神が飲もうが悪魔が飲もうがdrinkです。「お飲みになる」

「飲まれる」「召し上がる」のような言葉はありません。

日本語もそうですが、韓国語の敬語は、それらをしっかり区別します。こうした敬語表現になれていない外国人からすると、たしかにカルチャー・ショックものです。

英語にも聖書の訳や神への祈りの際に使う特別な言葉、例えば日本語訳だと「汝《なんじ》」になるthouやtheeなどの言葉がありますが、まず日常で使うものではありません。日本で「なんじ」って友だちに時間を聞くとき以外は使わないでしょう。そんな感じです。

韓国語を学び始めた外国人、韓国で暮らし始めた外国人の方々も、最初は驚きます。韓国語には相手へ「敬」を示すために、独立した単語があるのか、これは本当に素晴らしいことだ、さすがは儒教の国、礼儀の国だ、と。

しかし、韓国生活が長くなると、外国人は韓国語についてある疑問を抱くようになります。「敬語がこんなに発達しているのに、なんで私にジョンテッマル（尊待語、尊敬語）を使う人はいないのか」。

もちろん、本人の社会的立場にもよるでしょうけど、実生活で、韓国語の尊待語は、彼ら外国人が相手する人、例えばお客様に使うものであり、相手から尊待語を使われることはそう無いからです。これでは、敬語が発達していても「私」とは関係ないじゃないか、ただのカスタマーサービスじゃないか、と。日本側のネットでもよく言われる「韓国語って、尊敬語も尊称もちゃんとあるのに、なんでこんなに相手を侮辱する言葉が多いのか。なんでこんなにいちいち上から目線なのか」という指摘も、同じ趣旨のものです。

そして、外国人の方々は、やがて気づきます。むしろ英語のほうが、韓国語より幅広く敬語表現を使っていることに。英語は、単語だけで見ると敬語が無いように見えますが、言語の特徴を単語だけで語るべきではありません。英語には、「敬」にあたいする表現がたくさんあります。

有名なのがCan you～またはCould you～で、日本語に直訳すると「～していただけたらと思いますが～」になります。単語だけだと「おまえ、できるか」と、昔のアニメで宇宙人が話すギコチナイ地球語のようにしかなりませんが、使い方一つで、その意味には十分な「敬」のニュアンスが生まれます。

もちろんシチュエーションと話す人の態度がもっとも大きな判断要因でしょうけど、基本的に、Can（Could）you～は立派な敬語表現です。canに「できる」と「できます」の区別はありません。youにも「おまえ」と「貴方《あなた》」の区別はありません。単語そのものだけで敬語表現が成立するわけではありません。でも、文章としてCan（Could）you～にすると、それは立派な敬語になります。

先に、アニメ掲示板で「イタダキマス」に関してのちょっとした議論を紹介しましたが、まさかCould you～の日本語訳に「いただく」が入るとは、あのときの掲示板の常連さんたちも気づかなかったことでしょう。「そういうものは敬語的な表現であり、敬語ではないのでは?」と反論することもできます。

しかし、私はこう思っています。「敬語が無い言語でも、敬を示すための使い方はいくらでも出来る。敬語がたくさんあっても、敬を示そうとしない言語の敬語システムは、いずれ崩壊する」。

前者のほうが、ずっと心地の良い会話ができるのは、言うまでもないでしょう。敬語は「主従」ではありません。敬語は、「優しさ」です。実際に使わなければ、意味がありません。使うからといって減るものでもありません。その優しさもまた、社会を包み込み、その空間を相応の感覚で満たします。その空間で育った人は、いつのまにか優しさの言葉を口にします。

外国人労働者が嘆く「敬語を使わない韓国人」

外国人労働者への差別とか、そういう問題もあるでしょう。暴言を浴びせられることもあるでしょう。韓国語には「ヨク（辱）」といって、低俗で攻撃的な言葉が非常に発達しています。そういうヨクにやられた経験があると、韓国語が好きになるなんて不可能でしょう。

でも、本書で述べたいのは、そういう極端な場面ではありません。もっと一般的な会話でのことです。少し、経験談を紹介します。

私が大学生だった頃、学校の近くにあったコンビニで働いていた、ある東南アジアの外国人労働者の方は、いつも自分自身のことを「トライ（バカ）」と言っていました。周りからしょっちゅうそう呼ばれるので、そういうことにした、と言います。「はい、私はバカです」と言うと、まわりの皆が喜ぶというのです。

彼は、「韓国ドラマを見ると、本当に敬語が多い。私も、韓国人に敬語いっぱい使う。でも、なぜ私に敬語を使う韓国人はいないのだろう。きっと、私がバカだからだよ」と話していました。それがきっかけで、似たような事例をネットで探してみましたが、その結果、思ったより大勢の外国人が、同じ疑問を抱いていることがわかりました。

外国人、社会的にあまり高い地位ではない、韓国社会で「いわゆる外国人労働者」としてひとくくりにされている人たちの場合、特にそうです。「私の国の言葉は韓国語ほど敬語がいろいろあるわけではないものの、『敬』としての表現を受けることはできた。しかし、韓国にはあんなに多くの敬語があるのに、韓国に来てから『敬』の表現を受けたことがほとんど無い。これはどうしてなのか」。

彼らとて、最初のうち、韓国語を単語単位でやっと覚えようとしていた頃は、韓国語の敬語の多さに驚きます。でも、韓国生活に慣れて、文章としての韓国語と、そのニュアンスが分かるようになればなるほど、「敬」は見出《みいだ》せなくなってしまうのです。

それからまたしばらく経って、まだ韓国で携帯ではネットが出来なかった頃、ミニブログのような形で短い日記や雑記を書くネットコミュニティーが人気でした。そこに、ある外国人が書いた「韓国に来てヨクをいっぱい学んでしまった。もう私も、少し怒るだけですぐヨクを吐き出してしまう。私は悪い人（demon）だ。自分が怖い」というつぶやきは、いまでも忘れることができません。彼はきっと、「空間」の中で同化されてしまったのでしょう。

このように、「敬語」の存在意味がおかしくなりつつある韓国社会ですが、その結果として、二つの形で、敬語システムの崩壊が表れています。

「二元論（dualism）」とは、絶対に相容れない二つの領域をもって、世界を見ることです。例えば、社会を「善」と「悪」という対極として二つの原理で説明しようとするのも、二元論です。

さて、善（徳のあるもの）は悪（徳の無いもの）より「上」だとする儒教思想の国が、善悪論の二元論に陥ってしまうと、その国の社会にはどんなことが起きるのでしょうか。

一つは、「相手から尊待されたくて仕方がない」人の量産。もう一つは、「相手を下待したくて仕方がない」人の量産です。

尊でないものは下だから、「私への尊待」と「他人への下待」が、同じ流れとして表われるわけです。二つしか無く、「枠」は上と下しかありません。だから、下でないものは上で、上でないものは下なのです。

第四章
デタラメ「尊敬語」が暴走する韓国

他人を下待《ハデ》したくて仕方のない人の量産

無理して明るく書いてみますと、韓国語の敬語システム崩壊パターン、その一！「他人を下待《ハデ》したくて仕方のない人の量産」……の巻、です。ここでも、良き参考になりうる専門家の見解を一つ紹介しましょう。

以前は、韓国内でも、新聞でもテレビニュースでも、大学教授の書いた本にもちょっとエロい表紙の週刊誌にも、韓国社会の様々な問題を指摘する声が載っていました。韓国人が「ウリ（私たち）」と「ナム（他人、ウリ以外）」を極端に分けて考える問題、思わしくない自分の立場を他人のせいにするために「私の正当な権利を、不当な手段を使った誰かに奪われたからだ」と考える恨《ハン》の問題などなど、保守かリベラルかに関係なく、親日も反日も関係なく、韓国社会の捨てるべき問題、言わば本当の意味での積弊《チョクペ》、社会に積もった弊害を何とかすべきだとの指摘が、盛り上がっていたのです。

あれは、私が思う韓国社会の問題点と一致する内容が多く、大変興味深いものでした。例えば、漢方医コミュニティーを中心に、恨に対して医学的なアプローチを試みる人たちもいましたし、中央大学校の故チェ・サンジン教授のチームなど、「ウリ」関連の論文や書籍を積極的に発表するグループもありました。それらは、私がシンシアリーとして書いてきた韓国社会の問題点においても、本当に素晴らしいレファランス（参考資料）でした。ですが、残念ながら、最近、そういう資料を見つけるのは容易ではありません。

いつからこんな話が「社会通念的に」タブー視されるようになったかは不確かですが、個人的に、二〇〇二年ワールドカップで韓国チームがベスト・フォーに進出したときから、「韓国への批判」が「悪いこと」というレッテルを貼られるようになったと見ています。本当はもっと多くの事案が複雑に絡まっているでしょうが、大まかなタイミングが、そう感じられます。

ちょうど、二〇〇二年は親・北朝鮮思想の強い金大中《キムデジュン》政権、韓国で言う「左派政権」の頃で、社会全体が、韓国たる国という側面より、韓民族（朝鮮民族）たる民族という側面を強調するようになっていました。

余談ですが、これは北朝鮮への敵意を弱め、民族の完成である「南北統一」を扇動する効果があります。韓国という社会（国）に対する批判が、民族という聖域への批判と受け止められるようになったわけです。

それに、当時はネットの普及により、「私たちは優秀な民族だ」とする根拠に乏しい歴史観が急激に広がっていました。二〇〇二年ワールドカップでのベスト・フォー進出は、韓国人は優秀だとする社会観の、ある種の論拠であり、象徴だったわけです。サッカーとは関係ない、と言ってしまえばそれまでですが、韓国人が主張する「優秀さ」は全般的なものではなく、いくつかの「点（ポイント）」によるものだったりします。例えば、「キム・ヨナ選手が韓国人の優秀さを証明したから、もうフィギュアスケートはどうでもいい」という流れになります。

韓国社会の「甲乙《カプル》横暴の文化」

いずれにせよ、最近は「これだから韓国人は〜」という類《たぐい》の批判をすると、「日本は韓民族の気概を恐れている」「韓民族に対する悪口は日本が広げたデマ」などのとんでもない歴史観を盲信する人たちから、「韓民族の優秀さを歪曲するための主張だ。こいつはきっと日本人だ」と袋叩きにされる流れになりがちです。最近は、「土着倭寇《どちゃくわこう》（韓国に住み着いた日本人）」という蔑称が流行っています。

そんな中、あまり大手でないところ、例えばローカルメディアから、興味深い韓国社会への問題提起、及びその考察が手に入ることが増えました。

ここで紹介するのもその一つで、二〇一八年五月三十日、『大田《テジョン》トゥデイ』というローカル紙に載っている、慶熙《キョンヒ》大学社会学部ソン・ジェリョン教授の寄稿文からの引用となります。

〈（※韓国の「上の人が下の人を苦しめる文化」のルーツを、急激で受動的な韓国社会の資本主義化から探ろうとする人たちもいる、という話の後に）……しかし、歴史的に、韓国の甲乙《カプル》文化、上の人が下の人を苦しめる文化の根は、それよりもはるかに深い。長く書くこともできそうにないが、何よりも、その根は儒教の「等級付け」的な倫理規範に基づいた、形式主義・位階権威主義の文化にあると言える……。

……「文化」として定着した社会の流れ、社会の傾向は、社会に深く浸透し、非常に強く作用するため、いくら経済が発展しても、制度的に民主化が行われたとしても、その傾向と、社会がその傾向に依存しようとする力は、弱くなったりしない。この文化的傾向は、今日の私たち韓国人が、なぜこれほどまでに権威と権力、すなわち力の優劣と序列、及びそれに関連する文化的資本の獲得に強迫的に執着しているのか、その理由と背景を、教えてくれる。

韓国学の研究者チェ・ボンヨンは、このような差別・位階文化の土台から、世界的に見てもユニークな尊・卑の言語システムが、韓国社会で発展したと言う。私たちはいつも、「尊待《ジョンデ》」か、「下待」かの、二択だけの極端な選択を強要されており、誰もが、尊待されるため、命をかけて、権力、出世、学歴、権威にぶら下がるというのだ。よって、私たちは、他人を自分と「同等」な人格として見ない傾向に慣れている。

知らず知らずに、私たちは、自分自身を、自分より地位が低い他人と区別することによって、私は他人よりも優れていると示そうとする。差別の誇示を通じて、等級分けを作ろうとするのだ。すなわち、位階的に優れた「私」を証明し、それを堅持するために、地位の低い人たちを無視し、見下し、罵《ののし》り、低俗な言葉を吐き出すのだ。

社会学者キム・チャンホは、無視と軽蔑と嘲笑の文化が、韓国人の日常を支配しているという点で、韓国社会を「侮蔑感の社会」と規定する。この侮蔑感の社会では、自分自身が侮蔑されないためには、誰かを侮蔑しなければならないという、自己矛盾、言うならば「侮蔑の政治学」が日常的に動き出す。どんな組織や集団でも、人の集まりである限り、軽重の差はあるものの、その侮蔑感をやり取りしながら生きて行くということだ。

上の立場の人が下の立場の人を苦しめる甲乙の横暴は、このような韓国社会の位階・差別文化の集合的傾向性を反映して表われたものだ。韓国人なら誰もが、韓国社会の文化的傾向の力から自由にはなれない。しかし、社会の文化的傾向が容易に変わらないという点で、私たちの社会の「甲乙横暴の文化」もまた、そう簡単に消えるものではないという点を、知らなくてはならない。それは、制度を変えれば無くなるようなものではないのだ……〉

韓国社会の上下関係へのこだわりは、ちゃんと理解するのが難しいし、理解出来たら出来たで人間としての何かが壊れてしまいそうな気もします。

「他人を下にする」ことと、「私が上になる」ことが同一視

こういう人を仮定してみましょう。自分のことをどうしても偉いと誇示したい、とても虚しい人。でも、これといって偉いと証明できるものがありません。というか、そういう人に限って、人の「価値」というものをろくに考えていなかったりします。

先に紹介したキム・ジヘ教授の「バンマル、彼らの身分社会」で、他人より勝るのが年齢だけの人たちであればあるほど、相手の年齢を気にするという趣旨の内容がありましたが、それもまた、同じ問題を指摘していると言えましょう。

だから、「私は偉い」の根拠の代わりに、他の誰かが「私より卑しい」の根拠を見つけ

ようとするのです。いいや、根拠を見つけるというより、作ろうとする、と書いたほうがもっと適切でしょう。

実は、事例にもよりますが、いじめ問題などにも、似たような側面があります。加害者は、自分より弱い被害者が惨《みじ》めになればなるほど、自分の価値が上がると勘違いをしています。そして、その被害者が状況を改善するために努力し、立ち直ろうとすると、加害者は恐れをなし、さらに被害者を苦しめます。被害者が立ち直ると、自分（加害者）の価値が下がると思い込んでいるからです。

そのために暴力を用いることもありますが、さすがに日常レベルで使うのは、暴力や何かの策略ではありません。言語です。自分と相手が同時に理解できる、ずっと前からその社会の文化と同居してきた、言語です。加害者は、被害者に常にこう言い聞かせます。「お前はダメなやつだ。お前はダメなやつだ。お前はダメなやつだ」。

「お前はダメなやつだ」というより、実は、「ダメなやつでなければならない」という意味に近いでしょう。そうでないと、自分の階級が下がると思い込んでいるからです。

ソン・ジェリョン教授の寄稿文で指摘している、韓国社会の「侮蔑のやり取り」もまた、「他人を下にする」ことと、「私が上になる」ことが同一視されているからこそ、成立します。他人を下にするもっとも一般的な表れが、相手に侮蔑を与えること、すなわち「下待」することです。そして、それこそが、自分が「上になる（尊待される）」と同じことになってしまったのです。

「日本に併合されたおかげで近代化できた」はタブー

米国の政治学者デイヴィッド・イーストン氏は、著書『政治体系－政治学の状態への探究』にて、政治とは「社会に必要な価値の権威的配分」だと定義しました。社会で一般的に必要とされるけれど、社会構成員全員分を満たすには足りない様々な価値を、権威的に割り当てる行為が政治である、と。「尊」と「蔑」がコインの裏表のようになっている社会では、尊待が「社会が望んでいるけど全員分は存在しない価値」であると同時に、なんと、「侮蔑」もその価値の一つになります。なぜなら、侮蔑することで尊待されると信じられているからです。

全員に行き渡るはずの無い価値を、侮蔑をばら撒《ま》いて求めている社会。侮蔑されないためには侮蔑しないといけない社会。それが、どれだけ疲れることか。そういえば、私もそんな空間の中に長らくいたせいか、似たような感覚を何度も経験しました。以前にも、ブログに「韓国社会には、『誰かを悪いと叫んでいるから私は悪くない』とする心理がある」と書いたことがあります。いま思えば、それも寄稿文で紹介されている見解と、ほぼ同じ意味の嘆きでした。

韓国社会は儒教思想が強く残っているため、ここでいう「上下」が、「善悪」として表現されることもあります。韓国の国是、または国技（？）とも言える「反日思想」ですが、これは日本を「絶対悪」とすることで韓国が「絶対善」になる構図の歴史観です。あと少しで韓国（朝鮮）が自力で近代化できたはずなのに、日本の植民地にされた（実は併合されただけですが）せいで、台無しになってしまった、などなどです。

でも、この歴史観は、「韓国（朝鮮）が何か褒められるに相応することをやったのか」という側面が完全に欠けています。「日本が責められるに相応することをやりまくった」を主張することで、その欠けた部分を覆い隠し、全てを正当化しようとします。だから、「日本に併合されたおかげで近代化できた」とする意見すらも、韓国ではタブーとされています。日本に併合されたのは「悪いこと」で、近代化は「良いこと」なのに、それが両立するはずがない、あってはならない、というのです。

なぜなら、それが両立してしまうと、「韓国は自力では近代化できる国ではなかった」

という客観的な歴史が姿を表わすからです。先に、相手を罵ることで自分の格が上がるとする内容で、イジメ加害者の話をしましたが、反日思想もまた「日本が悪い（下）」から「韓国が良い（上）」の構図を無理矢理作るためのものであり、日本は悪いというより、「日本は悪くないといけない」に近い領域にまで達しています。

世界的に珍しい「尊・卑」が克明に分かれた言語システム

寄稿文に名前が出ているキム・チャンホ氏とチェ・ボンヨン氏ですが、前者の方は聖公会大学招聘教授で、私も教授の代表的な著書『侮蔑感：屈辱と尊厳の感情社会学』という本を持っています。

二〇二〇年二月に、寄稿文を日本語に訳してブログで紹介した後、久しぶりに読み返してみましたが、基本的には、韓国人にとって侮蔑感こそが日常を支配する巨大な力であり、「尊待」されるために他人を「下待」する行為が蔓延《まんえん》しているという内容となります。真の幸せを見つけない限りその渦巻から抜け出すのは容易ではないが、なかなか難しいのがいまの韓国社会である、とも。

本の「序文」から該当部分だけ引用しますと、こうなります。

〈……（※韓国人は）自分の存在価値を、他人から認めてもらおうとする欲求は凄《すさ》まじいが、お互いを認め合う優しさは、あまりにも足りない。よほど偉い存在にでもならないかぎり、「あの人、素晴らしい」と認めてもらうことが出来ない。経済低迷により生存の基盤までもが危うくなり、他の人たちを羨《うらや》ましいと思わない生き方の実現は、ほぼ無理に見える。そんな飢えと空虚を何かで満たすため、誰もが必死になっている。韓国人が、それを満たすためにもっともよく用いる方法は、誰かに侮蔑を与えることだ。誰かを侮辱して軽蔑することで、自分自身の存在感を確かめようとしているのだ……〉

相手を人間として見ない「卑下《ひげ》（※韓国では卑下は他人を見下すという意味になります）」、相手を劣等な存在として決めつけて異論を認めない「差別」、相手をただ嘲笑《あざわら》いバカにし続ける「嘲弄《ちょうろう》」、相手を徹底的に排除する「無視」、逆に、本来なら当事者が本人の意志で決めるべきことにまでいちいち介入し、代わりに自分で決めようとする「侵害」、相手を思う心からではなく、ただ誰かをかわいそうな対象として決めつけるための「同情」などが、相手に侮蔑を与えるための手段である、そして、卑下、差別、嘲弄、無視、侵害、同情は、全てがその社会の「言語」にそのまま根を下ろしている、とも。

私はこの『侮蔑感：屈辱と尊厳の感情社会学』の主張に大いに同意し、著者の方に敬意を抱いておりますが、このような韓国社会の問題を、伝統や歴史よりは資本主義の急激な浸透のせいにしていること、そして、「真の幸せ」と言うのは容易《たやす》いけれど、それが個人の努力でどこまで出来るものなのか？　そういう点は疑問を持っています。

どうやら、「いったん文化として定着した傾向は、そう簡単に消え去るものではない」という分析では、寄稿文を書いたソン・ジェリョン教授のほうに軍配が上がります。なにせ、そう短い期間で出来上がったものではないので、急激に消し去ることも無理なのです。作家チャン・ガンミョン氏のように、「誰にでも尊敬語を使おう」というキャンペーンを展開する人もいますが、それはそれで無理強いに過ぎません。

個人的に、「直す」こと自体が成立するのか、まずそれが疑問です。誰かによってそう「された」のではなく、社会自ら望んでそう「なった」のですから。

チェ・ボンヨン氏は、韓国学研究者です。「韓国学」とは、韓国と韓国文化の性格を究明するための研究を意味します。ちなみに、韓国には「日本学」研究者も結構いて、政治集団のシンクタンクになったりもします。

チェ・ボンヨン氏もまた、韓国には、誰かを差別することで位階の土台をもっと強固にしようとする文化があり、そのせいで、あまり思わしくない意味で世界的に珍しい「尊・卑」が克明に分かれた言語システムが生まれたと主張しています。

この方も基本的にはキム・チャンホ教授と同じく、言語は社会、すなわち文化の写し鏡であるとの内容です。二方の意見はほぼ重複になりますので、割愛致します。

日本と韓国の「アクプル」の比較

「いまどき」の言語は、「言う」もそうですが、いつの時代よりも「書く」が増えています。パソコンとか、携帯とか、そんなものが生活の一部になったからです。言葉が社会に特有の空間を作るなら、尊が溢れる言葉だと尊の空間を、下が溢れる言葉だと下の空間を作るなら、これらのネット上の書き込みもまた、その空間を作る重要な要因の一つだと言えましょう。

こちらもキム・チャンホ教授の提示したものですが、インターネット上の悪性コメントを分析したデータがあります。韓国で言う「アクプル」、悪性（アクソン）リプライ（reply、コメント）のことです。詳しくどこがどう悪なのか詳しい基準があるわけではありませんが、必要以上に相手を否定する、攻撃する、または捏造《ねつぞう》・歪曲・誹謗《ひぼう》する内容のネット上の書き込みを、こう呼びます。

キム教授が独自に用意した分析基準によるものなので、あくまで非公式なものではありますが、教授は研究チームと一緒に、いくつかの国のネット上の書き込みを収集、分析、それがアクプルなのかどうかを調べました。

その結果、特にマスコミなどから注目されたのが、日本と韓国のアクプルの比率です。韓国がなにもかも日本と比べたがるのは珍しいことでもありませんが、この場合、環境が似ているからです。日本と韓国のネット上のコメント、特にニュースサイトのコメントには、ある共通した「環境」があります。

韓国でアクプルとしてもっとも問題になるパターンは、二つあります。

一つは芸能人などへの人身攻撃、もう一つは、ニュース、特に政治ニュースでの「支持・不支持」対立です。芸能関連だと、大物芸能人が自ら命を絶つことが繰り返し起きており、芸能関連の法律事務所などで相応の措置を取ることも増えました。

しかし、政治ニュースでのコメント合戦は、日々悪化するばかりです。ネットサイトといっても、サイトによって、それぞれの「空気」はあります。ヤフーなど大手ポータルサイトのコメント欄で、「２ｃｈ」の一部の掲示板にあったような、罵り合戦を行う人たちがいるなら、皆さんはそれをどう思われますか。言っていることの良し悪しを論ずる前に、もう少し「場を考えろ」、運営はなんでこんなコメントを放っておくのだろう、そう思われないでしょうか。

韓国の大手ポータルサイト、ネイバーやダウム・カカオなどのニュース、特に政治ニュースのコメント欄が、ちょうどそんな感じです。

ネット・SNS上での名誉毀損及び侮辱罪の発生件数

日本と韓国の場合、そのニュース記事を載せた新聞社や放送局に直接コメントを書く人は、そう多くありません。経由サイト、例えばポータルサイトなどに様々なメディアのニュースが集まり、そのポータルサイトにコメントを書く人が多いのが特徴です。

欧米の国々は、日本や韓国に比べると、それぞれの新聞・放送局のサイトに直接書き込む人も大勢います。その分、コメント内容に対する規制も各メディアによって違います。日本ではコメントを削除・拒否するのはあまり望ましくない措置だとするイメージが強いですが、欧米の各ニュースサイトでは、コメント欄そのものが議論の邪魔になるという判断で、コメント欄を閉鎖する、または別の掲示板に誘導するケースが増えています。よって、韓国のコメント環境と比較できるのは、日本のデータなわけです。

キム教授の集計結果、日本では約二十％がアクプルだったそうです。韓国では、なんと八十％。データそのものは二〇一四年のものですが、いまでも、『朝鮮日報』『中央日報』など一部の保守右派寄りの新聞が、ネット上のアクプルを批判する記事を載せるとき、たまにこのデータを引用しています。非公式とはいえ、そもそも公式データがありませんから。

これは、関連した犯罪のデータでも表われていて、『日本経済新聞』の二〇一八年一月十二日「ネット中傷後絶たず　人権侵害一九〇〇件」という記事によると、日本の場合、「法務省によると、誹謗中傷やプライバシー侵害などのネット上の人権侵害は二〇一六年に千九百九件だった」となっています。これでも「後を絶たず」となっているのを見ると、例年よりは高い数値だったのでしょう。

では、韓国はどうなのかというと、「サイバー空間での名誉毀損《きそん》及び侮辱発生」という公式データがあります。日本側のデータと直接比較は出来ないにせよ、似たような趣旨で集計されたものです。

これによると、二〇一八年基準で、ネット・ＳＮＳ上での名誉毀損及び侮辱（侮辱罪）の発生件数は、一万五千九百二十六件、検挙件数が一万八百八十九件でした。検挙された人数は、一万五千四百七十九人。これは、二〇一三年に比べて約二倍に増えた数値です。

もともと韓国は告訴告発が多い国でもありますが、実は起訴率が低い、すなわち実際に告訴に相応《ふさわ》しい案件として処理される割合はそう高くありません。それでも検挙された人が一万五千人超えとは、こういう数字だけは「上」を行っています。

キム教授がこのデータを提示したのも二〇一四年でしたから、いまは、果たして、アクプルは何%になっているのでしょうか。余談ですが、おなじくキム教授のデータでは、オランダのアクプルが十%で、もっとも低い数値となっています。

「お客様、注文なさったコーヒーでいらっしゃいます」

それでは、「敬語崩壊その二(の巻)」ということで、ここからは、「尊待されたくて仕方のない人」の話になります。

公式な呼び方ではありませんが、最近の韓国の社会問題の一つに、「事物尊称、または事物尊待」というものがあります。いくら敬語法が発達しても、文章にある全てに尊敬を示すことはありません。

例えば、「お父さんが乗った船が、出港しました」に出来る限り尊待表現を強化するなら、どうすればいいのでしょうか。お父さんを「お父様」にしたり、「乗った」を「乗られた」または「お乗りになった」にすることも出来るでしょう。でも、韓国では、「お父様がお乗りになった船が出港なさいました」という敬語法が流行っています。

イエス様もびっくり、同時多発無差別尊待です。単に文章の尊待表現を増やせばいいだけで、対象などどうでもいいのです。事物である船にまで尊待してしまうこの不思議な尊待法を、「事物尊称」または「事物尊待」と言います。さすがに「船様」とは言いません。十年後にはどうなっているか分かりませんけど。この事物尊称の出現は、私もリアルタイムで経験しました。体感的に、十〜十五年前から始まり、韓国全土に急激に広がりました。

様々な敬語表現が存在する日本ですが、いくらなんでもコーヒーに敬語を使うことは無いでしょう。そのコーヒーがどこかの神社の御神体ならともかく。例えば、貴方《あなた》（読者の方）が韓国のコーヒーショップでコーヒーを注文したとします。店員がコーヒーを出しながら「お客様、注文なさったコーヒーでいらっしゃいます」と言うと、貴方はその店員をどう思いますか。とにかく尊待っぽい何かをいっぱい言われたから、嬉《うれ》しいと思われますか。

韓国語をある程度理解できる外国人が、特に敬語表現に慣れている日本人が、韓国でこの「コーヒーでいらっしゃいます」などの事物尊称を聞いて、一滴の冷や汗とともに、

「あ、これって『コーヒーでございます』と言ってるんだよね、きっとそうだよね」と勘違いすることがあると聞きます。でも、違います。

日本語の「ございます」は丁寧語で、「いらっしゃる」は尊敬語です。例えば、「あの、質問がございます」の場合、日本語的に何の問題もありません。「ございます」は丁寧語だから、自分側に使ってノープロブレムです。この場合、質問するのが自分ですから。予約した時間に店に入ってきたお客様に、店員が「あ、いらっしゃいましたか」というのは、「いらっしゃる」が尊敬語だから、相手側に使うわけです。来たのは相手ですから。

だから本書でいう事物尊称たる現象の日本語訳は、「コーヒーでございます」ではなく、「コーヒーでいらっしゃいます」になるわけです。ガイジンのワタシながら、実に適切な訳だと思います。おかしいでしょう。おかしいです。でも、これが凄く流行っています。

「愛する私たちのお客様」――「尊待表現」はたくさんつければいい

存在だけでもバカなことですが、さらにバカバカしいことに、この事物尊称は、「ふざけたつもり」または一部の領域で使われるだけの表現ではありません。韓国社会の至るところでこのような表現が溢れており、店側の人たちは、人生をかけてこの事物尊称に拘《こだわ》っています。こんなバカみたいな、本当に「バカみたい」以外に適切な言葉が思い浮かばないこんな敬語システムの崩壊が、なぜ起きているのか。趣旨は簡単です。

韓国人は基本的に「尊敬語（尊待語）」を言われることを「尊待されている」と思うから、その尊待表現をたくさん付けて文章を作ればいいというのです。韓国にいたとき、こういう尊待表現が、私は大の苦手でした。しかも、事物尊称とは似て非なるものですが、特に大企業の支店や市・区役所などに入ると、職員から「お客様、愛しています」とよく挨拶《あいさつ》されます。

「愛する私たちのお客様、今日はどのようなご用件でいらっしゃいましたか」など、こういう挨拶が私は本当に嫌いでした。失礼な言い方ですが、どうしても「気持ち悪い」としか思えなくて。

「私も社長・師母様と呼ばれたい」――尊待のインフレーション

ちょっと空気の入れ替えのつもりで、以下、『東亜日報』の二〇一九年十月二十六日の記事、「デタラメ尊待語」から部分引用してみます。

〈……最近、韓国のコーヒー専門店では、従業員が「価格は○○ウォンでおられます」

「コーヒーがいらっしゃいました（コーヒーが用意できました）」と言うのを、頻繁に聞くことになる。ゴルフ場でキャディーが「ボールがバンカーに落ちられました」と言ったり、市役所などで「印紙の価格は○○ウォンでいらっしゃいます」と言う場合もある。人ではなく、なんと事物に尊待するデタラメ尊待語である。語法を無視したこれら「事物尊称」は、実際の文法などどうでもよく、無条件で尊敬を示そうとしたあまり、主語や述語の関係、文脈などは全て無視するようになったのだ。お客様は王様だから、王様の気持ちを良くするためには極尊称（※必要以上に極められた尊称）を使わなければならないという強迫観念によるものだと聞く……。

……言語の変化の過程であり、より謙譲であろうとする表現のどこが悪いのかという、このような事物尊称を肯定的に捉える人たちもいる。しかし、デタラメな敬語法でしかないこの事物尊称現象は、固有の私たちの敬語法を破壊する副作用を招くことになるだろうという懸念も出ている。それに、サービス業界の従業員たちは、事物尊称が間違った表現だと分かっていながら、仕方なく使っていると吐露する。そんな表現でなければ、「私は、客としてちゃんとした礼儀や格式ある待遇を受けることができなかった」と考えるお客様が多いからだ。万が一、客が、従業員が事物尊称をしなかったという理由だけで「店員がちゃんと尊敬語を使わなかった」と会社側にクレームでも入れた日には、一方的にやられるのは、その従業員のほうだ。ただでさえ経済が悪く、アルバイトですら働けないいまのご時勢、客の怒りを買いながらも、ちゃんとした敬語表現を使おうとするなど、誰に出来るだろうか〉

引用した部分の、「間違っていると分かっていても使っている」ですが、それは、この記事が出た頃、「事物尊称は間違っている。もっとちゃんと教育しないといけない」という声が出ていたからです。政府機関の人まで、事物尊称現象を「教育」のせいにしていました。無知だから、美しい韓国語の敬語法が全然分かってないから、そんな間違いを犯すというのです。

でも、現実は、間違いではなく、社会への「迎合」でした。そもそも、普通に韓国語が話せる人なら、コーヒーに尊待したりしません。教育のせいにするのは、その政府機関こそが、店員をバカとしか見ていないからです。

もう随分《ずいぶん》前から、韓国社会では似たようなことがありました。一九七〇年代からあったと言われていますが、「社長様《サジャンニム》」や「師母様《サモニム》」がそうです。日本の一部の業種で流行った

「シャッチョーさん」という呼び方がオリジナルだという話も聞きますが、詳細不明です（笑）。

いまの韓国では、職員など店側の人がお客様を呼ぶとき、成人の男なら社長様と、成人の女性なら師母様と呼びます。師母とは、上司など、階級や職位が自分より上の人の奥様を意味します。どこの誰なのかもわからずこんな呼び方をするのは、明らかに間違いです。

でも、なぜこんな間違った尊称が流行ったのでしょうか。流行ったというか何というか、もはや完全に定着してしまい、韓国では社長様や師母様という呼び方が普通になってしまいました。

一説によると、これはデパートで使っていた「デパート尊称」というものだそうです。一九七〇年あたりから、高度経済成長で大金持ちになった人たちが、デパートで買い物をするようになりました。当時、デパートに行ける人は、ほとんどが社長またはその奥様だったわけです。だから、当たり前のようにデパート内でこんな呼び方が出来ました。

それから、デパートとは縁の無い人たちも、「私も社長・師母様と呼ばれたい」と望むようになり、そんな人たちに迎合する形で、全社会的に敬語法がおかしくなり、小さな町の食堂でも、入ってくるお客様を「社長様」や「師母様」と呼ぶようになりました。当時もまた事物尊称と同じで、そう呼ばないと商売がうまくいかないから、間違いだと分かっていてもそう呼ぶしかなかった、そういう話です。

少なくとも文法面で崩壊するわけではないから、事物尊称に比べるとまだマシな気もしますが、どちらにせよ、強いて言うなら「尊待のインフレーション」です。

日本の「お客様は神様」の韓国バージョン・「お客様は王様」

ここで、個人的にもう一つ指摘したいのは、引用した『東亜日報』の記事にある「お客様は王様」という表現です。これは、日本で言う「お客様は神様」の韓国バージョンです。「シン（神）」も「ワン（王）」も発音のしやすさ・しづらさでは大して変わらないので、日本の「神様」を、上下関係において圧倒的に上にある存在を意味するものだと勘違いしたのでしょう。だから韓国では「王様」に訳されたのではないかと、個人的には考えています。

王権が異常に強く、大統領制になってからも大統領に権力を集中するなど、韓国人にとって「王」という言葉は、誰よりも上、というイメージしかありません。

どうであれ、事物尊称による敬語法崩壊現象を、「お客様は王様だから、とりあえず尊待表現をたくさん付けて話すと、王様は喜んでくれる」ものだとすると、日本語バージョンとしてこう書くこともできるでしょう。

「お客様は神様だから、とりあえず尊称をいっぱい付けて話すと、神様は喜んでくれる」。

先に、イエス尊待法の話で、神（イエス）の論調がどことなく王のそれに近い、と書きましたが、そう、これが「イエス尊待法」の正体なのです。

どうでしょう。朝、神棚にお供えしながら「今日のお供え物でいらっしゃいます」や「今日のお供え物様を用意いたしました」と言うと、神様は何を思われるのでしょうか。私が韓国でおかしな敬語表現を聞いたときに思ったのと、同じことを思われるかもしれません。「なんだこいつ」とか、「気持ち悪い」とか、「やばいな、別の店（家）に行こうか」とか。日本の神様は優しいから、「ニッポンゴ、ムズカシイヨネ」と笑ってくれるかもしれませんが。

侮蔑の暴走、尊待の暴走。誰もが「そんなことはいけない」と思いつつも無くならないこの二つの暴走。おかしくもあり、悲しくもあるこの暴走は、韓国社会の敬語システムを着実に崩壊させつつあります。

「ハングル」は世界でもっとも優秀な言語

韓国社会は、まだまだ自民族優越主義が強く、ハングルに対するプライドもかなりのものです。世界でもっとも優秀な言語だと、韓国人は誰もが信じています。漢字教育を復活させるべきだとする声が根強いですが、いまだ実現しないでいるのも、「ハングルがあるから漢字なんか必要ない」という自信があるからです。

韓国社会の構造的な問題でもありますが、「漢字は必要だ」という意見が、「ハングルは低劣なものだ」と同じ意見になってしまう側面もあります。まったく同じでない意見は、なんでもかんでも敵視してしまいますから、韓国社会は。

そんな韓国人が、ハングルの敬語法を崩壊させながら、「デタラメ尊待」を求めています。これはなぜでしょうか。「私は、他人に尊待語を使う気が無い。でも、他人は私に尊待語を使わないといけない」。言い換えれば、尊待されたくてされたくて仕方のない人が、相応の分、多いからでありましょう。

侮蔑表現が暴走しているのも、同じです。他人を下待したくてしたくて仕方がない人が多いから、そうなるのです。そして、そんな言語システムの変化は、文化と影響し合います。その中の人たちの精神を支配しながら。この暴走がどこへ向かうのかは分かりませんが、一つ言えるのは、どことなく、朝鮮後期の階級社会と似ているという点です。

敬語システムの崩壊と朝鮮後期「両班《ヤンバン》」の爆発的増加の共通点

朝鮮時代、貴族階級を両班《ヤンバン》と言いました。朝鮮の前の国となる高麗《コリョ》時代から、王宮には正殿といって、王が朝礼を行う庭がありました。そこには、職位によって宮殿の官吏たちが立ち並ぶ場所が決まっており、東と西の二つの班（組）がありました。だから、両班とは階級が高い、王の朝礼に参加できるほど偉い人、という意味を持つようになり、朝鮮時代には貴族階級を「両班」と呼ぶようになりました。

十八世紀、その両班が、爆発的に増加しました。偽物でも、お金で両班の地位を買う、または両班のふりをする人たちが増えたからです。朝鮮は賄賂《わいろ》に弱く、文書で民をちゃんと管理する国でもなかったため、両班の増加を止める術《すべ》がありませんでした。

十八世紀、朝鮮の儒学者、丁若鏞《チョンヤギョン》は、当時の身分制度の崩壊を、「身布議」という文書にこう書き残しています。

〈……両班にならないと、軍布免除にならないから（※無償で兵役免除にならないから）、とにかく民は誰もが両班になりたくて仕方がない。地方の士族名簿に名前を書いてもらっては両班だと言うし、偽物の家系図で両班だと言うし、故郷からわざと遠いところに行っては両班のふりをするし、文官志望生徒の巾をかぶって官吏登用試験場に入るとその時から両班だ。こんな風潮が隠密裡に溢れ、年々増え月々増えている。このままでは、国中が両班だらけになってしまうのだろう……〉

兵役だけではなかったでしょう。人をお金で売買する最悪の身分制が存在した朝鮮。その支配階級、両班の自業自得という側面もあります。朝鮮末期にはこの流れが加速し、お金さえあれば両班階級を買うのも容易《たやす》くなり、結局、身分制の崩壊、社会そのものの崩壊を招きました。私は、最近の韓国の敬語システムの崩壊が、朝鮮後期から続いた「このままでは国中が両班になる」という現象と同じ根を持つと見ています。

次の章からは、日本語は「神国」を支える柱であることを、主に信仰の側面から接してみたいと思います。

第五章
神様と私

韓国での宗教生活

私は、韓国ではいくつかの宗教を経験しました。もう日本語でブログを書くのも十一年になりますから、ブログ読者の皆さんからは「あれ、シンシアリーってキリスト教徒ではなかったのか?」と疑問に思われるかもしれません。

私は、生まれは、ものすごく儒教的な教えが強い家柄でした。でも、韓国で儒教を自分の宗教とする世帯は、一%にもなりません。うちもまた、儒教的伝統を出来る範囲内で守っていただけで、「うちの宗教は儒教です」としていたわけではありません。

小学生のときに学校側から受け取った設問の「宗教」欄には、いつも「仏教」にチェックを入れました。それから家族の一人がキリスト教の宣教師としての人生を歩むことになり、母がそれに同調した影響もあって、家族ほぼ全員がキリスト教徒になりました。

家で、基本的には長男がリーダーになってご先祖様に祭祀《さいし》を捧げる儒教的儀式、茶礼《チャレ》の姿は、いまでも私の頭の中に鮮明に残っています。人のいないサン（韓国の座卓）にお料理を用意し、その際に「これはご先祖様に捧げるものだから」と細心の注意を払う母や親族たちの姿は、いま思い出しても、独自の「美」のある姿でした。皮肉な話ですが、いまでは、私が神棚にお供えするとき、いつも頭の中で手本としています。

茶礼の途中には、家で一番良い部屋（「アンバン」と言います）に料理を用意し、男性だけがクンジョル（土下座のように正座して床近くまで頭を下げて礼を示すこと）し、しばらく部屋から出て、待機します。「ご先祖様が食事を終えるまで待つ」と言われました。その間には、大きな音を出したりすると、怒られます。「ご先祖様があの部屋でご飯を召し上がっている。静かにしないといけないだろう」と。

そうした光景を見て育ったためか、私はいまでも、「無駄遣い（必要以上に料理を用意したりする）」の側面以外は、茶礼のような儀式に抵抗感はありません。でも、茶礼のように伝統化されているものならともかく、儒教や仏教という「宗教」的な側面において、うちはどんな教義をどう守って、そのために何をしたのか、それはよく分かりません。韓国では、家に仏壇を置くこともありませんので、なおさらです。

仏教関連では特にそうで、大人たちがお寺に行くときには、私はついていきませんでした。韓国の寺は山奥にあるものが多く、子供の頃、私は乗り物酔いがひどくて、遠くにある寺までいくことが出来なかったからです。姉から聞いた話だと、二～三回は寺までついて行ったこともあるそうですが、私は記憶がありません。

私が、ある程度自分で考えられるようになって、自分で初めて「私の『宗教』」だと認識するようになったのが、キリスト教です。実際、単なる信仰ではなく宗教生活でした。礼拝に参加するだけでなく、自分なりにコミュニティー活動や講習会にも積極的に参加しました。だから、本やブログに、韓国のキリスト教については述べたことがありますが、儒教や仏教については、社会的に残っている思想の影響や副作用は論じたことがありますが、「宗教としての姿」はあまり書いたことがありません。単に信仰心があった、または社会で自然な形で体験したことと、宗教生活として身につけた知識は違うからです。

やはり私が「韓国での宗教生活」として書けるのは、韓国のプロテスタント・キリスト教、「基督教《キドクキョ》」信者としての経験談です。本書でも、同じく、基督教の話をしてみたいと思います。

ここからは普通にキリスト教と書きますが、別記が無いかぎり、「韓国で経験したキリスト教」のことになります。また、同じキリストを信じる宗教でも、カトリック（Catholic、韓国で言う「天主教」）ではありません。私はカトリックの宗教生活をしたことは無いし、特に韓国では、政治的にもはっきり分かれていて、「新教」は保守右派支持、「旧教」はリベラル左派支持となっているなど、お互いに仲がよくないことで有名です。

「神様への祈りは出来る限り詳しく、長く、具体的に」

二〇〇〇年代になった直後のことです。私は、ソウルの某有名教会に通っていました。大きな教会が多い韓国でも指折りの規模で、日曜日だけで一万人以上が全国から集まるという、いわゆるメガチャーチ（大型教会）です。メインとなる十一時の礼拝が終わってから、多くの信者たちは十九時の礼拝時間まで、各種コミュニティーに参加したりして、教会内に残ります。私は街に伝導（宣教）に出かけるのは苦手だったので、キリスト教の教義、正しい生き方など、若い宣教師による講習会などに、主に参加しました。

いまでも、あのとき聞いた講義が、まったくの人生の無駄だったとは思っていません。でも、内容については、多くの疑問を抱いています。ほかはともかく、聖書に書いてあるイエス・キリストの生き方とあまりにも差があったからです。

宗教というのは、よく「平和」がどうとか「愛」がどうとかと、万人のための基準を謳《うた》います。でも、その宗教の「信者」になって、少しでも深入りすると、すぐに分かります。宗教というのは、決して万人のための基準で出来上がったものではありません。独自の教義があり、理想があり、正しいとする生き方があります。ちゃんとした宗教、社会に肯定的な役割を果たす宗教なら、そんな独自の基準を持つ権利があるとも言えます。

それを外部からの目で判断するのは、宗教の自由という側面からしても、かならずしも正しい評価方法だとは言えません。ですが、その宗教が、自ら教えている神の言葉を自ら守っていないなら、それは話が違います。

韓国のキリスト教徒だった頃、私が教えられた「祈りを捧げる方法」は、「神様への祈りは出来る限り詳しく、長く、具体的に」というものでした。講師曰《いわ》く、「せめて二〇分は祈れるようになりましょう」とのことですが、私は、五分祈るだけでも「ネタ切れ」を起こし、いつも困っていました。しかも、「出来る限り大きな声で祈りましょう」ということでして。私には、苦痛でしかありませんでした。

そこで言う祈りというのは、「ありがとうございます」ではありません。何かを「ください」という内容です。私だって「全能なる」神様に願いたいことが無かったわけではありませんが、大きな声で祈ると、隣の人にも聞こえてしまいますよね。実際、隣で祈る人の祈りの内容が、息子の大学受験から民事訴訟の件まで、いろいろと私の耳に入りました。

祈ることが無いなら、民族の将来のために祈りなさいと、よく言われました。キリスト教というのは、「民族」という概念とは相性が非常に悪い宗教です。そもそもイエスが、二千年前のユダヤ人の宗教指導者たちから嫌われ、濡れ衣を着せられ、十字架で処刑された主な理由も、彼が、「神様の救援（罪を赦《ゆる》され天国に行けること）が得られるのは、ユダヤ民族だけの特権ではない」とし、他民族も神の救援が得られるとも受け取れる内容を、説いたからです。

有名なのが、「アブラハムの子孫であることを自慢すべきではありません。神様は石ころでもアブラハムの子孫に出来ます」という言葉で、アブラハムの子孫とは、ユダヤ民族のことです。すなわち、ユダヤ民族であることは、神様にとっては大した問題ではないという意味です。

ユダヤ教では、いまでもイエスをキリスト（救世主）だと認めていません。当時のユダヤの宗教指導者たちにとっては、これは大きな「異端」な教えでした。時代にもよりますが、昔のユダヤ民族は「王」ではなく、宗教指導者たちが民を統《す》べました。イエスのこの教えは、支配権力への正面からの挑戦だったのです。

しかし、韓国の教会は、民族主義を大事にします。「韓国人こそが本来のユダヤ民族の役割を果たす」「韓国のキリスト教は民族主義と一つになっているからこそ素晴らしい」などの教えを、平気で教えています。

大勢が一気に泣き叫ぶ声で祈りを捧げる「痛声の祈り」

私が通っていた教会もそうですが、韓国の大きな教会は、夕方の礼拝、または教会主催の祈りの会など何か特別なイベントでは、「痛声の祈り」というものを捧げます。かなり広い礼拝堂に大勢の人が集まって、一気に泣き叫ぶ声で祈りを捧げることです。

繰り返して祈ること、ちゃんと声を出して祈ること。それは別に悪いことではありません。でも、程というものがあるでしょう。数百人以上が一つの部屋に集まって、電気を消して、泣き叫ぶ声で同時に祈りを捧げると、もう誰が何を言っているのかも聞き取れなくなります。その姿は、まるで、何か霊的なものが憑依《ひょうい》した人を描くホラー映画のようです。

実際、祈りの途中に倒れて外に運ばれる人も、急に変な言葉をしゃべる人もいます。すると、「聖なる霊に満ちた証拠だ」と歓声が上がります。そういうのを韓国では「方言《バンオン》」と言います。泣き叫ぶように祈るのは、「あなたがそんなに苦しんでいるのに、神様があなたを放っておくはずがありません」という理屈で、もっともっと「痛いよ、パパ」と叫べば叫ぶほど、神も答えてくれる、というものです。

でも、私は、もし私が神なら、そんな場には近づきたくないだろう、と思いました。日本の皆さんからすると、何かのインチキ宗教か秘密結社の集会だと思われるでしょう。でも、これはれっきとした韓国のプロテスタント・キリスト教の教会での出来事です。

余談ですが、この痛声の祈りは、韓国のキリスト教では旧教（カトリック）以外はどこも同じで、公式のプロテスタント（新教）流派だけでなく、異端宗派、公認されていないキリスト教流派でも同じです。

二〇二〇年二月、韓国では、大邱《テグ》・慶尚北道《キョンサンブクト》地方を中心に、新型コロナウイルスが急激に広がり、医療システムが麻痺《まひ》する事態が起きました。感染の主な原因は、キリスト教系列の異端宗教である某S教でした。もちろん、同じ建物で礼拝を捧げるわけだから、感染する可能性も高いでしょう。

でも、当時の韓国でのS教の新型コロナウイルス感染率は、同教の該当支部の信徒約四千人を検査した結果、六十二%に達しました。いくらなんでも、これは高すぎる数値です。一部では、淫《みだ》らな行為でもしているのではないか、という憶測も出ました。でも、個人的な意見ではありますが、その原因は、多分、「痛声の祈り」にあります。痛声の祈りは、ツバが、無数に飛び散りますから。本当に無数に飛び散ります。あー、やだやだ。

繰り返しになりますが、宗教のことだから、他宗教の基準で良いとか悪いとか言っても仕方ないでしょう。同じ宗教でも国ごとに特徴があるから、こうした「長く、具体的に、泣き叫ぶ」も韓国ならではの特徴だとしても、一応、理屈は通るのかもしれません。

日本語の「絆」も韓国語では一言で訳せない

でも、他でもない聖書基準で見て、これはおかしいです。聖書には、一カ所だけ、イエスが自ら「こう祈りなさい」と教えてくれた祈祷文があります。意外なことに、あの分厚い聖書の中で、イエスが祈りを具体的に教えてくれたのは、一カ所だけです。日本では「主の祈り」、英語では「The Lord's Prayer」、韓国では「主祈祷文」と呼びます。

ここも英語を私が勝手に訳したもので、日本の公式訳とは違うと思いますが、こういう内容です。

「天におられる我らが父よ、貴方《あなた》の聖なる名前が崇められますように、貴方の王国が建ちますように、天でそうであった通りに、地でもそうでありますように。今日も私たちに日ごとの糧《かて》を与えてください。私たちが私たちに罪ある者を赦《ゆる》したように、私たちの罪を赦してください。私たちを試練の時代から遠ざけ、ただ悪から救ってください。国と力と光栄は、永遠に貴方のものであります」

ちなみに、キリスト教圏で食事の際や感謝の祈り、そして「欲張りすぎない」という趣旨の教えにもっともよく用いられるフレーズ、「今日の糧食（に感謝します）」も、ここからの引用となります。

この主の祈りですが、まず、全然長くありません。簡潔です。神様に対して「貴方は素晴らしい方です」「貴方の望むとおりになるでしょう」と称える内容を除けば、本当に短いです。この教えの中で、私たちにとって「具体的に」できることは、二つだけです。日ごとの糧、すなわち「無いと本当に困る」分に感謝すること。

日ごとの糧というのは、明日の分までは欲しがらない、すなわち欲張りしないという意味になります。聖書には、次の日の食事を気にしすぎる、他人と分かち合わずに欲張りすることは、神様の恵みである「日ごとの糧」を疑うことだとする教えも込められています。

もう一つは、他人の罪を赦すこと。キリスト教では、罪があるかぎり神の救援を得る、すなわち天国に行くことは出来ないとします。イエスを信じることで罪から赦しを得て、やっと神の国にたどり着くことができる、とします。

しかし、このキリスト教の特有の教えにおいても、イエス本人は「本当に、自分が罪を赦された存在だと信じているなら、他人の罪を赦しなさい。自分が赦されたと信じているなら、他人を裁くことなどできないはずです」としています。

実はこの部分が、私が今でもイエスを「素敵な方だな」と思っている理由でもあります。自分自身が神から赦された存在、すなわち罪のある存在だったと本当に信じているなら、他人を赦すのは当然でありましょう。

これもまた個人的な意見ですが、これは日本語の「絆」とも似ています。キズナもまた、韓国語に直訳するのは不可能です。私は、キズナは「私たちは誰もが糸を半分ずつ握っている、持ちつ持たれつの存在」だと理解していますが、これを一つの言葉で表せる韓国語は、知りえません。

キズナの場合は、赦すより「許す」のほうがもっと適切でしょう。私たちは、誰かが誰かを許し、誰もが誰かに許される関係にある。完璧な人などいない。社会にそんな「感覚」が共有されているのは、とても素晴らしいことです。神様の「数」に関係なく。

どれだけ偉い神様でも、その存在を人に伝えるのは、いつの時代でも、人です。人が社会に神を伝えたいなら、すなわち「宣教」したいなら、まずは一人の人間としてちゃんとした生き方を示さないといけないと、私は信じています。韓国でキリスト教をやめたのも、この「神と人間の関係」を見出《みいだ》すことができなかったからです。

韓国の教会で、神に「私を赦してください」と熱心に祈る人たちが、ちゃんと他人を赦すのを、私は見たことがありません。日ごとの糧にしては、要求される献金の額も大きすぎました。私が通っていた七〜八つの教会「だけ」の問題だと、いまでも信じたいところですが、なんとも言えません。

人が宗教から離脱するもっとも多くの原因

それに、イエスは静かに祈りました。この祈祷文を教える前に、イエスはこう話しました。マタイの福音書六章です。

「祈る際には、奥の部屋に入って、戸を閉じて、誰にも気づかれない場所から見ておられる貴方の父に祈りなさい。誰も知らないところでご覧になられる貴方の父が、必ず応じてくださることでしょう。祈る際に、異邦人のように、長々と祈ることはありません。彼らは、口数を増やせば増やすほど、祈りが聞きいれられるものだと思っているようです。そんなことを真似する必要はありません。あなたの父である神は、貴方が求める前から、貴方に必要なものが何なのかをご存じなのです。だから、貴方は祈る際に、こう祈りなさい」

この後、イエスは主の祈りを教えてくれます。どう考えても、「誰もいないところで静かに祈りなさい」という内容です。「もっと長く！　泣け！　叫べ！　本気を見せろ！　お前の悩みはその程度か！」と言う鬼コーチの姿は、どこにも書いてません。

でも、質問してもちゃんと答えてもらえず、だからといって教会の講師たちに「おい異邦人、話が違うぞ」と突っ込むわけにもいかず、どんどん気まずくなって、それから別の教会に通うことになりました。

しかし、新しい教会も大差無く、講習会などには参加せず、学生たちに日本語を教える講師になりました。でも、私は普通の日本語教室だと思っていましたが、違いました。彼らが学生たちに日本語を教える教室を用意したのは、日本で宣教活動を通じて日本の伝統文化を破壊する「戦士」を育成するためでした。

天皇こそが「敵・キリスト（人々に間違った信仰を与え、結果的に人々を地獄に落とす存在）」だと主張するなど、その日本語教室の教材には、反日関連、日本を悪い国だとする内容が多すぎて、私にはとても耐えられませんでした。

すぐ辞任し、それからは地方の小さな教会も含めて、いくつかの教会をディアスポラ（彷徨《ほうこう》）しましたが、どこに行っても、相手から「会話を始める前にいろいろ聞かれる」

な流れになって、「あ、シンシアリー（仮名）さんって歯科医師ですか……ここに、コーヒーでいらっしゃいます」という展開になって、そこからお金の話になって、かならずトラブルが起きて、結局はキリスト教徒をやめました。

別に、いまでもイエス・キリストが嫌いなわけではありませんが、「人に失望すれば、その人が崇拝する神をも遠ざけることになる」という人生授業料は完全かつ最終的に支払い済みですので、いまさらキリスト教徒に戻るつもりもありません。

人が宗教から離脱するもっとも多くの原因は、人が嫌いになったからです。神が嫌いになる人なんか、そういません。この点、神様とは、言語と似ているかもしれません。人がどう使うかで、中身が肯定的にも否定的にもなってしまいますから。

「人が急に謎の言葉を話しだす」現象を高く評価する韓国の教会

韓国キリスト教との辛い思い出話を終える前に、方言について、ちょっとだけ、何というか、適切な言葉が思い浮かびませんが、〈注意喚起〉を書かせてください。

方言とはもともとは特定地域の言語、言わば訛《なま》りのことですが、ここでいう方言とは、人が急に聖霊の言葉を話す現象を意味します。聖霊とは、キリスト教で言う「三位一体《さんみいったい》」

の一つで、神様の霊のことです。

神様、イエス、聖霊は同一の存在となっているから、見方にもよりますが、唯一神と同格の存在となります。とはいえ、その聖霊様の言語体系を知っている人もいなければ、問い合わせ先を知っている人もいないので、方言が本当に聖霊の言葉なのかどうかは分かりません。

韓国の教会では、この「人が急に謎の言葉を話しだす」現象を、もの凄《すご》く高く評価します。それは聖なる霊が降臨された証拠だから、祈りの途中に、そのような不思議な現象を体験するのは素晴らしいことだとします。

日本でも、知り合いから聞いただけの話ですから多分極めて一部のことでしょうけど、一部の韓国系教会が、信徒たちに同じことを主張していると聞きます。「日本人は罪深いから、聖霊で浄化される必要があり、その証拠が方言になる」という無茶苦茶な教えを強いる教会もある、とも。

でも、それは聖書的に全然違います。新約聖書には、イエスの弟子たちが、違う言語圏の人たちと意思疎通するシーンがあります。韓国のキリスト教は、これを方言だと主張します。聖霊の言葉で話し合ったから意思が通じ合ったのだ、と。しかし、聖書に書かれているのは、「ユダヤ語しか知らない人たちと、ユダヤの言葉を知らない、またはユダヤ語では簡単な会話しかできない他地域の人たちが、なぜか言語の意味が通じ合い、イエスの教えについて話し合える奇跡が起きた」内容であり、わけのわからない言葉を急に喋《しゃべ》りだしたなんてどこにも書いてありません。

聖書に書いてあるのは、いまどきの言葉にすると、「人工知能自動翻訳機（安心の天国製）」のような、何かの奇跡だったのでしょう。だいたい、誰かが「ああ聖なる霊キタコレ」と白目をひん剝《む》いてぶるぶる震えながらペーペパパパウクホタポケチラエタタタタとしゃべりだすなら、あなたはそんな人の言うことを「おお、聖なる言葉だ」と受け入れますか。逆効果でしょう、普通。というか、何を言ってるのか分からないでしょう。

韓国の教会には、これを「通訳」する人もいます。キリスト教はいつの時代、どこの国でも、シャーマニズムを排斥してきましたが、韓国のプロテスタント、基督教は、どことなくシャーマニズムがキリスト教を丸ごと飲み込んでしまったようにしか見えません。それは、ちゃんとしたキリスト教を宣教しようとする人たちにも、かなり迷惑な話ではないだろうか、そう思えて仕方がない、今日この頃であります。

このように、キリスト教はイエスを信じる宗教なのに、私が「イエスってかっちょええな」と思った分だけ、ことごとく否定される格好となりました。私は、日本が朝鮮に対して悪いことをしたとは思っていません。併合時代に小学生だった親からも、日本への悪口は聞いたことがありません。

でも、あえて韓国側の設定どおり、日本が「罪人」だと仮定しても、せめてキリスト教だけは、そんな日本を許すべきだと教えないといけないはずです。そんな話も聞いたことがありません。なにもかも矛盾《むじゅん》だらけでした。

新渡戸稲造《にとべいなぞう》の『BUSHIDO』から学んだこと

それから約十年、どの宗教の教徒にもならず、ニート（徒）、「無宗教」生活をしました。しかし、韓国のキリスト教徒生活に端を発する、神と人間の関係についてのイライラ、モヤモヤは、続いていました。少なくとも「特定の神を信じないと地獄に落ちる」という話を聞くこともなくなり、主の日（日曜日のこと）に礼拝を捧げないといけないという規則も無くなりました。

とはいえ、ちょっとした不安はありました。何か、私には、もっと正しい生き方を提示してくれる宗教生活が必要ではないだろうか、と。しかし、下手にまた何かの宗教生活を始めたところで、モヤモヤが増えるだけかもしれないし、それは該当宗教の神様にも迷惑でしかない気がして、無宗教生活を続けました。

そして、自分の人生を日本で過ごすと決めて、日本在留資格を取得、日本で住むようになってから、妙な変化がありました。不思議なことに、宗教生活の必要性そのものを、これといって感じなくなりました。不安も消えました。正しく生きるための知恵を宗教関連で見つけようとしなくても、それ以上に良き教えを、街を歩くだけでも、日本社会からは毎日のように見出すことができました。

まだ戦前の時代に、日本文化の素晴らしさを世界に知らしめた新渡戸稲造《にとべいなぞう》氏の『BUSHIDO』という本にも、日本には武士道のような伝統が文化の中に溶け込んでいるため、特定の宗教からでなくても、道徳を教わることができるとする趣旨が出てきます。それと似たような体験だったと言えるでしょう。

何より、私は日本そのものが大好きだったので、韓国にいたときに比べると、様々な楽しみを見つけることもできました。さすがに歯科医師だった頃に比べると、経済的には、韓国で言う「階級」が下がったかもしれません。でも、そういうことはどうでもいいです。

私は日本に来て、私が望んでいたものを手に入れました。私もまた日本に必要なことを、何か出来ないだろうか、何か「返す」ことはできないだろうかと、悩むようにもなりました。こうして原稿を書きながらふと気づきましたが、私がお稲荷様に「『ありがとうございます』だけでは何かが足りない」と思うようになったのも、そんな向上心と関係していたのかもしれません。

でも、なぜでしょう。宗教生活の必要性を感じなくなったのとほぼ同じタイミングで、神との関係を考え直したくなりました。しばらく封印してきた信仰の必要性を、再び感じるようになったわけです。宗教の必要性が感じられなくなって、それから信仰の必要性が感じられるようになったとは、自分のことながら不思議な経験です。

神棚は「年上の方と同居しているような感覚」

結果、地元の神様ともっと仲良くなりたいと、神社の神様ともっと良き縁を築きたいと思うようにもなりました。日本に来てから数カ月後のことで、もはや、何の抵抗感も残っていませんでした。

いまでは、私にとって神様との関係は、「今日から同じ家で過ごすことになりました。出来ることなら、あなたに家族の一員として認められたいと思っています」というようなものです。

子供の頃に見た茶礼の影響、でしょうか。それは、韓国のキリスト教で見た「王様」たる神様への「尊待《ジョンデ》」とは違い、「年上の方」への尊待のような感覚でした。さらに突っ込んだ書き方にすると、養子縁組まで行きたいと思っています。もちろん、私がそれに相応《ふさわ》しいかどうかの判断は、神様にお任せします。

これは、私が日本への帰化（日本国籍取得）を考えていることと、何か関係があるのかどうか、自分のことながら、自分の心理がうまく読めません。でも、「もし何かの理由で帰化できないかもしれない」という可能性も常に考えているし、もし帰化できなかったとして信仰を変えるなど少しも考えていないので、帰化のような制度的なものとは違う気もします。

帰化の権限が私ではなく日本国にあるのと同じく、この権限も私ではなく神様の方にあるので、判断はお任せするしかありません。とはいえ、「いや、要らねーし」と神様に言われるとさすがにショックですので、そうならないように、とりあえず頑張っています。もちろん帰化のほうも。

さらにそれから一年ぐらい経って、神棚を祀《まつ》るようになってからも、この「年上の方と同居しているような感覚」は続きました。男一人暮らしの、家中での「身なり」といっても知れたものですが、相応の身なりに気をつけたりしています。

韓国キリスト教、くどいようですがプロテスタント、新教のほうでは、これは大きな「神への不敬罪」です。キリスト教の神様以外の存在に対し、良き縁がどうとか考えるのは、いわゆる偶像崇拝です。先祖への祭祀《さいし》も禁じていますから、韓国キリスト教は。

韓国ではキリストを王様のように考えている、という見方も述べましたが、彼らからすると、私は「王を裏切った大逆罪人」であり、一万回死んでも当然のものだと思われていることでしょう。韓国の某地上波放送で「祖国の悪口を言ってセレブになった男」「日本人に狂喜されている嫌韓作家」とされたり、政治家からも大学教授からもよく「韓国人のふりをする日本右翼」とされたり、韓国側からはすっかり売国奴扱いを受けている私だけあって、宗教からも同じことを言われるのはさすがにキツイですが、「ま、こんなものだろう」とも受け止めています。ムカツクけど、彼らにも彼らの立場があるのでしょう。

時間はかかりましたが、このように、私が神様との関係を再び気にするようになったのは、私が急に良い人になったからでもなければ偉くなったからでもありません。ただ、「なんとなく、そうしたくなった」からです。

いわば、何かに感化されました。自分で「変えた」でもなく無理やり「変えられた」でもなく、私の中の何かが、自然と変わりました。

第六章
「言霊」の幸せを受けた国・日本

「神国の国」で知った「心願」の奥深さ

二〇一八年、いろいろあって、家でも神様を祀《まつ》る決心がついたので、総本山と言われる、京都の伏見稲荷大社《ふしみいなりたいしゃ》に行って、ご祈祷《きとう》を受け、御神札を「いただきました」。毎年、同じ時期に訪れるようにしています。二〇一八年に初めてご祈祷を受けたときにも、事前に伏見稲荷大社のホームページをチェックし、境内の地図、ご祈祷を申し込む場所などを調べたことがあります。

今回、有馬《ありま》温泉の神社での出来事が気になって、もう一度伏見稲荷大社のＨＰの「ご利益」から「ご祈祷」を調べてみたら、何ということでしょう。願いを「書く」じゃなくて、「該当するものにチェックしてください」になっていて、ビックリしました。そういえば、実際にご祈祷を受けたときにも、自分の願いを書いて提出したりはしませんでした。しかも、安産、入試合格など、カテゴリーが十七つしかなく、「これ以外は『心願成就』にしてください」、とのことでして。

詳《くわ》しく覚えているわけではありませんが、前に伏見稲荷大社のホームページをチェックしていたときにも、ここを読んだはずですが、改めて驚きました。初めてご祈祷を受けたときを思い出してみると、受付の方が、住所など、いくつかの記入内容を、ご自分で書いてくれました。多分、私が外国人だから日本語が書けないかもしれないと思われたのでしょう。ご祈祷の内容も短くお話しましたが、「心願成就」カテゴリーになっていたはずです。「具体的に、長く、叫ぶ声で」願えと教えられていた私に、「心願（心から願っている）」という言葉が、刺さりました。頭の中で祈祷文を作っていたことが、いかに愚かだったのか、恥ずかしくて仕方がありませんでした。

そして、キリスト教徒だった頃の記憶とともに、「神は、貴方《あなた》に必要なものをすでにご存じなのです」という言葉を思い出しました。本当に心からの願いとして成立するものなら、それをわざわざ大声で叫ぶ必要は無いということでしょう。心願でもないものを叫びながら「私ってばこんなに痛いです」とアピールするのは、さらに必要ないのでしょう。

キリスト教会と日本の神社はぜんぜん違うはずです。ある意味、唯一の神と、八百万《やおよろず》の神という、極端な唯一神教と多神教で、外見的には何もかも違います。しかし、私が聖書で読んだイエスの教え、「あ、これいいな」と思った部分と一脈相通ずるのは、韓国キリスト教で十数年間教えられたことではなく、むしろ日本に来てから神社で見て、感じて、ほんの少し調べただけの、教えでした。

心願だけではありません。例えるならキリがありません。キリスト教で共感できた教え、しかし、韓国では「実践」として表れなかったそれらの教えが、日本には普通に生活の一部になっていました。

「似て非なるものではあるが、共通する部分も確かにある」、そう思うと、何かスーッとして、ずっと抱いていた、キリスト教へのモヤモヤも消えました。韓国で背負ったキリスト教のモヤモヤを、神道の国に来てから払拭することができたとは、まったく、世の中とは分からないものです。

日本的に考えると、神に「悪魔」などいない

そして、神への疑問が解消されると同時に、悪魔への疑問も消えました。「善」と「悪」(神と悪魔)はコインの裏表のようなものだから、でしょうか。実は、キリスト教と日本の神観をもっともわかりやすく表しているのは、神ではなく悪魔のほうです。

キリスト教で言う「悪魔」というのが、日本語には「訳せない」存在であること、ご存じでしょうか。普通の意味での「悪魔」なら訳せますが、少なくともキリスト教の信仰の側面での悪魔は、日本語にはちゃんと訳せる言葉がありません。そもそも、単に「悪」の

「魔」ではないのです。

キリスト教の悪魔は人々を「堕落」させる存在です。堕落とは何か。人が神を信じなくすることを意味します。例えば、ある人が、自分の財産を神より大事に思っているなら、キリスト教ではそれを堕落とします。そして、悪魔のせいだとします。人々が神様以外のものを求めるようにする、または神の存在を否定するように策を仕掛けることで、「人が、神の救援を得ることが出来ないようにする」すなわち聖書的な意味で「堕落」させることです。

悪魔は悪そのものであるため、懺悔《ざんげ》しない、自分の罪を反省しない存在で、赦《ゆる》す必要すら無いとされています。

新約聖書でもっとも活躍が目立つ使徒、パウロすらも、コリントという地域のキリスト教徒たちに、「結婚は罪ではないが、出来れば私のように独身のほうがいい」と手紙に書いたことがあります。家族が出来ると、どうしても神様の教えを広げる仕事に専念できなくなるからです。罪と言うほどではないけれど、愛する人と結婚することすらも、パウロからすると、堕落への誘惑だったのです。

非キリスト教国にも適用できるように書き方を変えて、堕落を「人が重要な目標への道を踏み外すこと」とするなら、日本では、堕落は基本的に自己責任となっています。その時点で、悪魔は存在出来ません。

よく「日本の神道には悪魔が存在しない」という話を聞きます。私は、「神道には悪魔が存在しない」ではなく、「日本的に考えると、『神に悪魔などいない』」のほうがもっと適切だと思っています。悪い神ならいるかもしれないけれど、それは相対的なもの。絶対に悪い神などいるものか、となっています。

なにせ、カミという存在は、「絶対」という言葉とは相性がよくありません。唯一神宗教でいう絶対善である「神（THE GOD）」とは違い、その御使いで神に絶対服従する「天使」とも違うので、それらの反対概念である絶対悪、「悪魔」とも違います。人の立場によって良い・悪いの評価が分かれる神はいるかもしれませんが、絶対善も絶対悪も存在しない、日本ではそういう世界観が一般的です。

悪い結果は人の責任、特に自己責任とする考えが強く、それをどこかの神のせいにしたりもしません。

善と悪に両分される世界観がない日本の神観

聖書によると、イエスは、自分自身が逮捕されて殺されるだろうという予言を、弟子たちに話したことがあります。それはイエスにとっても本当に嫌な出来事ですが、それは神様の意を実現するために必要なことでもありました。罪のないイエスが、世界中の人々の罪を背負って代わりに死に、そしてそれを赦さないと、「イエスを信じることで、人々は自分自身の罪から赦しを得る」というキリスト教の核心教義である「救世主（キリスト）としてのイエス」が成立しなくなるのです。

その予言を聞いたペテロが、「そんなことがあってたまるものですか（Heaven forbid、絶対に無い）！」と断言します。すると、イエスがペテロにこう言います。「悪魔よ、消えろ！」。イエスは十字架で人々の罪を背負って死ぬのは、自分の使命だと分かっていました。しかし、イエス自身、十字架での処刑は「出来れば避けて通りたい」ことだったので、ペテロの優しい言葉に甘やかされると、堕落する、神のことではなく自分のことを優先してしまうと思ったのです。

だから、ペテロの言葉はイエスには「悪魔」でしかありませんでした。聖書で言う悪魔という存在の仕事は、こういうものです。すなわち、悪魔というのは、単に人が悪いことをするように仕向けるだけではありません。人を大金持ちにすることで神への信仰を失うようにするのも、悪魔的には「あるある」です。

でも、日本の神観では、特定の神を信じないと天国に行けないとか救援されなくなるなど、そういう決まりごともないし、善と悪に両分され組織的に睨み合っている世界観でもないし、神と人の関係を邪魔しようとする勢力も存在しません。もしキリスト教の悪魔たちが日本に来たとしても、どこかで遊んで帰る以外にやることはないでしょう。

もし、ノルマ達成に追い込まれた悪魔がいて、日本で「いいか、もう神を信じるなよ」という条件で誰かを大金持ちにしたり、濡《ぬ》れ衣《ぎぬ》を着せられ襲われそうになった人を「私が相手だ！」と守りきったなら、その悪魔は、日本ではちょっとした神様扱いになるかもしれません。小さな神社や祠堂《しどう》なら建つかも。その時点で、その存在は（日本では）神です。悪魔などではありません。

「絶対善」を演出するためにも「絶対悪」が必要だった韓民族

二〇一九年の夏、個人的にはちょっと微妙でしたが、「神の意思に逆らって都市が水没しても、一人の女の子を救う」アニメが、大ヒットしました。もしその神がキリスト教の神だったなら、その主人公は、赦されないことをしました。女の子と一緒に、悪魔にされるでしょう。

日本は、どこからどこまでが正義で、どこからどこまでが悪で、神々が宿ると言われているのに神様のせいにすることもあまり無いし、しかも「絶対に悪いやつ」の存在なんか考えもしない、日本の世界観は、本当に不思議です。

ある意味、神だけでなく悪魔にも最小限の「敬」は向けるべきだとする社会の通念があるのかもしれません。すなわち、その世界観のおかげで、極端な上下関係などもありません。

この悪魔の立場を、自分自身に投影してみました。いままで何度か、拙著やブログで「韓国の反日思想においての日本の存在は、キリスト教においての悪魔の存在と似ている」と書いてきたのも、キリスト教のこのような「設定」を知っていたからです。他の国ではどうなのか分かりませんが、韓国では特にこの「悪魔のせい悪魔のせい」というのが教会礼拝演説の定番でして。

自民族中心主義が強い韓国。その韓国にとっての「韓民族」（朝鮮民族を韓国ではこう言います）は、絶対善です。絶対善でないといけません。でも、実際に善を行ってない人が自分の善を演出するためには、自分以外の誰かを悪にする必要があります。誰かへの「下待《ハデ》」が、自分への「尊待《ジョンデ》」になると信じている心理と同じです。

韓民族が絶対善を演出するためにも絶対悪が必要だったし、それが日本でした。それがいまでも「反日思想」という禍々《まがまが》しい黒魔術として、韓国人の精神世界を支配しています。

韓国からすると、私のような「日本側に同調する内容の文を書く人」こそが、人々を惑わし堕落させる、悪魔なのかもしれません。そんな私が、日本に来て精神的に「楽」になったのは、偶然ではないでしょう。たまに、よく訪れる街のコーヒーショップで、在留資格証を見ながら、「ここにいてもいいんだな」と思うと、また、何かがスーッとします。「別に、悪魔でいいや」、と。

言語で解決できないことは人間の領域ではない

私は、日本のこの妙な価値観、神観が、「人間観」にもそのまま適用されていると見ています。ある地域、またはある民族が持っている価値観は、人間観の反映です。世界観は自然環境から生まれるものだとも言えますが、実は、人間が人間にちゃんとした価値観を向けない限り、世界観は成立しません。

例えば、自然を神格化するのも、自分自身を含め、人間がその中でもっとうまく生き残るための、経験、考察、そして哲学の結果なのです。自分の命も含め、家族、町に対する価値観が定立しないと、それが世界に対する価値観にまで広がったりはしません。

日本の神観は、人間観にもそのまま適用されています。そのためか、日本の信仰からは、嘘が感じられません。関連した神話の内容が本当かどうかで嘘を論じているわけではありません。口で言っていることと実際の行いが違うこと、それを嘘だと言いたいだけです。そんな嘘がありませんでした。

信仰というものは、正解がありません。アタリかハズレか、良いか悪いか、そんな利害関係で選ぶものではないし、そうやって選べたところで信仰心が長く続いたりもしません。ただ、口で言っていることと、実際の行動が、矛盾《むじゅん》していてはいけません。

これは信仰だけでなく、社会のすべてがそうです。真の教義とは、日頃の行いで示されるものでなければなりません。「教え」が、実生活の中でもちゃんと表れてこそ、その信仰は人々を感化させることもできます。

私が韓国での宗教生活で感じたことは、「キリスト教は悪い」ではありません。「嘘はいけない」です。聖書に書いてあることが嘘だと言う意味ではありません。イエスの言葉を人生の最大の道標《みちしるべ》だと説いている人たちが、その教えを実生活の中で実践していなかったからです。それは、嘘でしかありません。人にも、神にも迷惑なことです。

日本に来てからは、そういう矛盾を、嘘を、感じなくなりました。日本の「神様に悪魔などいない」という世界観がもっともよく表れている日本の人間観こそが、「話せば分かる」です。言い換えれば、「人の中に悪魔などいない」です。そして、その証拠は、言語による意思疎通にある、と。本当に美しい慣用表現です。それこそが日本の人間観の核心です。

それでも解決できなかった場合は、こう言います。「あいつは人間じゃない」。そう言っておいて、しばらくしたらまた話で解決しようとしますけど。そう、日本では、言語で解決できないなんて、それは人間の領域ではないのです。

神様たちは「どこ」に宿るのか

古くから、日本は「神国」、「神々が宿る国」と呼ばれました。では、神様たちは「どこ」に宿るのでしょうか。神社など宗教施設だと見ることも出来るでしょうけど、私は、神々が宿るという意味は、もっと幅が広い概念だと思っています。そもそも、相応の施設が無いところ、例えば山とか、そんなところにお住まいの神様もいますし、自然そのものが神となっている場合もあるので、施設だけでは何かがズレてしまいます。

「『宿』る」なだけに、ホテルに例えてみます。いくらインテリアが優れたホテルでも、利用する客がうるさい人ばかりなら、周辺でいつも事件が起きてパトカーの音しか聞こえないなら、そんなホテルで泊まりたいと思う人はそういないでしょう。立派な施設だから気持ちよい宿になれるわけではありません。ホテルの内側と外側がともに心地よいものでないと、意味がありません。

人は、「敬の空間」と「蔑の空間」、どちらに住みたいと思うのでしょうか。私なら、迷わず敬のほうを選びます。神様だって、きっとそうでしょう。そう、敬は、人と人だけでなく、人と神の関係においても、絆《きずな》なのです。

糸を半分ずつ握っているのが絆だとするなら、その糸こそが「敬」の気持ちです。そして、その役割を果たすのは、言語です。言語の持つ、空間を作り出す力が、なにより役に立ちます。

日本語は、本当に敬語システムが素晴らしく、しかも崩れることなく稼働しています。

昔に比べるといろいろ「変わってきた」部分はあるでしょうけど、いまこうして見事に機能しています。そう、日本語こそが、神社の内外を「敬」という名でつなげてくれる、敬の宅配便です。

シャーマニズムの民間信仰の一部「巫俗《ムソク》」

「韓国語に比べて日本語に侮蔑表現が少ないのは、日本語の語彙《ごい》が少ないからではないのか？」。そうではありません。一般的に、韓国語より日本語のほうが、語彙が多く、特に、自然を表す語彙が多いと言われています。自然を信仰と結びつけて考えてみると、なるほど、「なんとなく分かる」気もします。十分すぎる語彙がある中でも、人に侮蔑を与える言葉は格段に少ないのが、日本語の特徴です。

日本には、「言霊《ことだま》」というものがあります。基本的に、言葉には霊が宿るという意味です。この言葉もまた、韓国語には直訳できない日本語の一つです。

韓国では、現代にて「宗教」と呼べるほどの朝鮮半島独自の伝統宗教は、ありません。シャーマニズムから進化できなかった民間信仰の一部が、「巫俗《ムソク》」という呼び名で、まだ残っているだけです。

それは、何か良からぬことが起きるのは「シン」（神と書きますが、何かの霊の意味です）のせい、例えば鬼神（キシン、死んだ人の霊）のせいだとし、「呪術でもっと強いシンを呼び出して、問題を起こしている弱いシンを追い出す」ことが基本となります。追い出しながらも、二度とくるな、殺してやる、などなど、「侮蔑」感半端ない言葉を吐きます。自分が呼び出す神には、出来る限り多くの良いもの、基本的にはお金を捧げろと言います。もちろん、儀式の後、そのお金はスタッフ（術士）がおいしくいただきます。「泣き叫ぶ」言葉がシンを動かすと信じているのはこちらが元祖で、私が韓国教会の「痛声の祈り」からシャーマニズムの姿を見出《みいだ》したのも、そのせいです。これは別に韓国だけではなく、シャーマニズム関連でよく見られる特徴ではありますが、現代でもこの儀式のやり方は変わっていません。八〇年代でも、「グッ（굿）」と呼ばれるシャーマニズムの儀式を行う家は、少なくありませんでした。それはもう、激しく踊ったり歌ったり、大騒ぎです。

ついでに、ちょっと怪談っぽいことでも書いてみましょうか。シンの力を借りるには、そのシンより大きな声を出したり、シンの体に自分のハンコを押す（名前を刻む）必要がある、としています。生まれてすぐ亡くなった赤ちゃんの霊、童貞・処女のまま亡くなった霊は、特に強い恨みを持っているので、その分、強いシンになると信じられています。

昔の朝鮮半島には妙な風習が多く、例えば処女のまま亡くなった女性を、街の大通りの交差点にこっそり埋めることもありました。大勢の男に踏まれることで、死んだ女性の恨みも封じ込められると信じていたからです。そういう怪しい場所に行って、決まった時間、決まった儀式で死んだ人の霊（鬼神）を呼び出し、怖さに負けずに大きな声を出して脅したり、ハンコを押して自分の名前を書いておいたりすると、そのシンはやっと術士（シャーマン）の言葉に従うようになる、といいます。

脅すとか名前を書いておくとか、所有、主従関係のイメージが強いのが特徴です。昔の主従関係、身分の上下による命令体系が関わってくるのかもしれません。術士と霊の関係とは言え、「まず上下関係をハッキリしておかないと、会話を始めることもできない」という前述の寄稿文の内容と似ている気もします。ハンコを押すことで霊的な効果が出るというアイデアは面白そうで、どこかのゲームで見たような気もしますが、どちらにせよ、日常レベルでのものではありませんでした。

術士となるシャーマン、巫堂《ムダン》たちも、町外れに祠堂を作って住むのが一般的で、町では忌み嫌われる存在だったとも聞きます。というか、いくらなんでもこんなものが日常なら、嫌すぎます。

昔のキリスト教の「言葉の霊力」は、神様から人間への一方通行

西洋にも、言葉に霊的な力が宿るという考えはありました。でも、キリスト教が唯一神教だったことで、その「霊」も、唯一の神様の霊以外は認められませんでした。いまは、キリスト教の教えは、欧米の人々の道徳の根幹となり、大勢の人たちが神様やイエス・キリストの教え、「御言葉」を生活の中で肯定的な形で守っています。

しかし、昔は、制限がいろいろありました。「神様の御言葉だから」霊的な力があるだけで、「自分自身の言葉に霊的な力が宿ることもある」とする解釈はタブーでした。例えば、魔法や呪文などの類《たぐい》です。

魔法というと、かっこいい主人公が炎や雷でモンスターを倒すイメージが強いですが、ここでいう魔法は、儀式魔法、床に魔法陣を書いたりして、何らかの儀式で悪魔や天使を呼び出すことです。これらは、欧米では反・キリスト教的なものでした。なぜなら、それが「イエスを介さずに霊的な力を起こそうとすること」だったからです。

面白いのは、悪魔を崇拝する人たちが悪者扱いされるのはまだ分かるとして、天使を呼

ぶ儀式なども、禁止されていたことです。天使というと神様の御使いで、人々を助ける存在ですが、なぜ天使を呼ぶのもダメだったのでしょうか。それも理由は同じで、イエスを介さなかったからです。人が自力で天使を呼ぶなど、越権行為でしかなかったわけです。

この考えはいまでも宗派によっては強く残っており、プロテスタント（新教）では、イエス以外の存在に祈ってはいけないとし、カトリック（旧教）のようにマリアや聖人に祈りを捧げたりはしません。この「魔法は反社会的なもの」とする社会風潮は、いまとなっては何かの冗談としか思えないほど強く、イギリスには、一九五〇年まで「魔法を行ってはいけない」という法律もありました。そう、魔法は「犯罪」だったのです。

すなわち、昔のキリスト教の「言葉の霊力」は、神様から人間への一方通行でした。また、時代によっては、神様の御言葉を口にするにも相応の権限が必要でした。例えば、聖職者以外は、下手に聖句を口にしてはいけませんでした。しかも、聖職者とて、神様の御言葉をそのまま読み上げるだけで、字一つでも変えたり加減したりしてはいけません。

日本の言霊には、そういう制限は聞いたことがありません。悪い言葉にも言霊は宿ります。キリスト教的には、絶対善である神様の御言葉に悪い言葉などあるはずがないので、そこまでは考えません。むしろ、キリスト教が普及する以前の時代、一部の古い宗教に、

「どんなものでも三倍になって自分に返ってくる」という教えがあった、と聞いたことがあります。

『万葉集』八九四番に著された、神々が宿る国の「行間」

では、日本で言う言霊というのは、どうだったのでしょうか。昔の日本にも、呪文とか、シャーマニズム的な要素はあったでしょう。でも、言霊は、そういうものではなく、もっと幅広い人たちが使うものでした。

私がそう言い切れる根拠は、少なくとも一二〇〇年以上前のものとされる日本最古の和歌集、『万葉集』です。万葉集、八九四番の歌を見ると、

「神代《かみよ》より 言ひ伝て 来らく そらみつ 大和の国は 皇神《すめかみ》の 厳《いつく》しき国 言霊の 幸《さき》はふ国と 語り継ぎ 言ひ継がひけり 今の世の 人もことごと 目の前に 見たり知りたり〜」

となっています。「日本は、皇神《すめかみ》の威厳ある美しさに充満し、言霊の幸せを受けた国だと語り継がれてきました。いまの人たちもそれを目にし、知っています」という意味です。

一二〇〇年以上も前の人たちが「代々受け継がれた」と言うからには、言霊とは、いったいどれだけ昔からあったのでしょうか。それに、その言霊は、魔術師や聖職者、シャーマンのような特別な人、社会から隔離された人たちだけが使えるものではありませんでした。そんな特別なものなら、「いまの人たちもそれを見て知っています」とは言わないでしょう。

しかも、反社会的なもの、ある程度の隔離、排除、または特別な層に限られる権限を意味するものであったなら、言霊を「幸せを受けた」とは記さなかったはずです。

のちほど、雛人形や俳句の話で東京都荒川区南千住《みなみせんじゅ》にある素盞雄《スサノオ》神社に訪れたときのことを綴ることになりますが、神社の入り口にて、飛鳥《アスカ》大神《オオカミ》様は別名、記録によって出てくる少し違う記し方のお名前として「事代主神《ことしろぬしのかみ》」「一言主神《ひとことぬしのかみ》」と言う、と書いてありました。

はるか昔の記録ではありますが、それは「言」は「事」と同じ概念であった、と考えることも出来るかもしれません。辞典を調べてみても、確かに、「事（こと）」と「言（こと）」は同語源だ、または同語源と思われる、となっています。

多少無理をしてでも、個人的な考えをもとに視野を広げてみると、言霊とは「事霊」にもなれます。言霊、言葉に霊が宿るというのは、この世の様々なコトに霊が宿るという考え方と、同じものかもしれません。

「敬」が込められた言葉は、心地の良い霊を宿したまま、街中を、社会中を跳ね返り、全てに敬を込めます。これが、望ましきあり方としての、「事」すべてへの敬の込め方です。肯定的な意味での、「事物尊待」、いや「物事尊待」とでも言いましょうか。

そう、言語こそが、神が宿る場所を作るのです。そんな言語によって作られた空間の中で、人は神を意識するようになります。神がその空間の中に、ともに住んでいるからです。だからこそ、そこに住む人たちは、「幸せ」だったのでしょう。

『万葉集』でいうその「幸せ」とは、言葉で具体的に言わなくても、言葉の中にある「敬」という名の言霊によって社会の人たちに共有されたもの。その幸せこそが、神々が宿る国の「言語の行間」、まさに「神国の行間」だったに違いありません。

第七章

「書く」から「描く」を見出す

神棚に置かれた小さな鏡に見えた「何か」

「ありがとうございます」だけでは足りない何か。その「何か」とは何か。このように、塩ラーメンとか、訳せないとか、空間とか尊待とか敬とか、さらには言霊とか、美味しいものから恐縮なものまで様々なことを経て、「何か」を求めてきました。

凄《すご》く面白い考察ではありましたし、宗教関連でいろいろあった私にとっては、特に意味のある時間でした。でも、だからといって「何か」が見つかったわけではありませんでした。

そんなある日の朝、厚いコートはもう要《い》らないかな、と思ったばかりの頃。神棚にお供えをし、二礼二拍手一礼しました。それから、出かけようと思って着替えていたら、鏡に映っている自分が見えました。

そして、「あれ?」と思い、そこで、やっと分かりました。これです。前章で神や言霊などを書いたばかりですが……。その理屈、その考察だと、「あるはず」のものが、見えませんでした。が、一応、見つけました。

うちの神棚には小さな鏡が置いてあります。小さくて、顔の表情まではよく見えません。

でも、毎日、そこに映ってはいたことでしょう。私の、この顔が。有馬《ありま》温泉の神社には鏡がありませんでしたが、神様には見えていたはずです。

凄い脱力感とともに、「ああ、なんだ……これだったのか」と。「シンシアリーって脱力するほど残念な顔だったのか！」と誤解しないでください。ちょっと違います。美的基準にもよりますが。

すべての「行間」は「余韻」に似ている

本や文章の場合、「行間を読む」と言うと、大まかに、目には見えない意味、著者の別の意図も含まれているということです。だから、別に「行」間でなくてもいいのではないでしょうか。「字」間でもいいし、「章」間でもいいでしょう。全て読み終わって、本を閉じるまでの間に、本の世界から現実の世界へ戻る間に、または現実世界に戻った後に、読者に残る余韻こそが、真の意味での「行間」だと言えるかもしれません。

文学の世界だけではありません。映画、アニメ、ゲームなど、「行」が存在しない作品のなかにも、行間と言えるものは存在します。個人的に、舞台劇の、カーテンが下りてきている間、舞台のセットが変わる間もまた、良い行間だと思っています。

そう考えると、実は行間とは、「余韻」ととても似ているものではないでしょうか。映画だろうがアニメだろうが、監督が「これはこうであれはああですよ」と必要以上に具体的にメッセージを出したところで、余韻など欠片《かけら》も感じられません。

無意味に本書で扱う事案の数を増やしたくはありませんが、日本の某「超」有名アニメ会社が、自社ビルに「スタジオ◯◯は原発抜きの電気で映画を作りたい」という横断幕を掲げたことがあります。

私は、その横断幕からは何も感じることが出来ませんでした。書いてあることが理解できなかったわけではありません。私は脱原発政策を支持する側の人ではありませんが、非科学的な論拠を科学的なものに「偽装」することさえしないなら、脱原発を支持する人も反対する人も、その主張は尊重されるべきものだと思っています。脱原発だけでなく、全てがそうでありましょう。

だから「やめろ」とは言いませんが、何か、感動したというか、余韻に浸《ひた》るというか、その横断幕から感じられるものは何もありませんでした。字を読んで理解することと、その字の内容に感動することとは、まったく別ですから。

皮肉なことに、同じ会社が作ったアニメのほうが、タイトルに原発の「げ」の字も出ないにも関わらず、私にずっと多くのメッセージを与えてくれました。げの字は出ないけど「ケ」の字が出てくる、同社の某作品で、自然の中で古い神々の領域を守ろうと戦うモノノケの姫と、タブーとされる領域を侵害しながらも強く生きようとする街の人たちの間で、橋のような存在になろうとする勇敢な少年の姿こそが、横断幕なんかよりずっと素晴らしい、多くの感動を与える存在でした。

「祖父を罪人と叱る文で官吏になった」詩人・金笠《キムサッカッ》

詩などを作るとき、「押韻《おういん》」というものがあります。「韻」とする字を詩の一定の箇所に入れて（「踏んで」）詩を作ることです。韓国でも、昔、文人たちが詩を作るときによくやっていました。もちろん、中国から入ってきたもので、韻は漢字の韓国語読みだけが認められました。

最近はあまり話題にならなくなりましたが、一八〇〇年代、朝鮮時代、金笠《キムサッカッ》という人がいました。本名は金炳淵《キムビョンヨン》と言いますが、とある理由で、いつも笠で顔を隠し、全国を旅し、印象的な文、詩を残したと言われています。

金炳淵の家門は、当時の貴族階級である両班《ヤンバン》の家系ではあったものの、財政的に苦しい立場にありました。もともと文才に長けていた金炳淵は、そんな家門を立て直すため、若くして地方の官吏を登用するための国家試験、郷挙《ヒャンゴ》に挑戦しました。その試験のテーマは、地方の官吏でありながら、反乱を起こした農民たちに降伏した、金益淳《キムイクシュン》という人の罪を論ずる文を作ることでした。

金炳淵は、たかが身分の低い農民なんかに降伏した金益淳は、国の王を裏切ったのと同じだとし、怒りをぶつけました。苦しい中でも自分を育ててくれた親のことを思うと、民の親である王を捨てた金益淳がとても許せなかったのです。一部だけ紹介しますと、こんな感じです。

「王を捨てるとは親を捨てることと同じではないか。お前など、一度死ぬだけでは足りないだろう。一万回死んで当然であろう。春秋筆法を知らないとでも言うのか。私たちはお前のことを歴史に残し絶対に許さない」

「春秋筆法」とは、中国の歴史書である『春秋』の書き方のことで、「悪いとされるやつのことは、実際よりさらに悪いやつのイメージで表現する」書き方を意味します。『春秋』という本は、孔子《こうし》の私見に近い感じのものですが、中国では孔子の書いた歴史書として高く評価されています。

中華の諸侯国、すなわち朝鮮の王は中国皇帝の臣下だとしていた朝鮮でも、言うまでもなく、そうでした。そうした書き方を「歴史書」とするのが、どことなく、日本を一方的に悪者として話し、それを「歴史の真実」と言い張る、韓国の反日思想と似ている気もします。

すでに死んだ人の悪口を言わせて若い官吏を登用するというのも、日本的には随分《ずいぶん》おかしな話ですが、「一万回◯ね」は高く評価され、金炳淵は郷挙に壮元及第（首席合格）しました。彼は大喜びし、真っ先に母親にこのことを報告しました。「かあちゃん、やったよ！」。

しかし、喜ぶのも束の間。詳細を知った彼の母親は、涙を流しながら、ある事実を告げます。その「農民に降伏した官吏、金益淳」が、実は金炳淵のお祖父様だったのです。農民に降伏するのは死罪で、本当は一家も死刑されるはずだったものの、金益淳と親しかった他の官吏たちの力で、金益淳の家族は罪を軽くしてもらい、人目の少ない地方に避難、幼い世代には過去を隠していたのです。

「罪人の子でありながら祖父を罪人と叱る文で官吏になった」と自分を嘆き、金炳淵は全てを捨て、旅に出ました。それから彼は金笠と呼ばれることになります。

全ての作品を漢字で残した金笠

それから全国を旅しながら数々の文章を残した金笠ですが、ある日の夜、寝所に困り、町で特に大きな建物である書堂を訪れました。書堂とは、将来、文官になろうとする人たちに、身分の制限はあったものの、千字文など漢字の基礎を教えるところでした。そこの先生を訓長《フンジャン》と言います。

書堂を訪れ、一晩眠れる場所を求めた金笠ですが、訓長は、金笠を追い出すつもりで、「じゃ、ミョク（覓、もとめる）を押韻して詩を作ってみな」と冷たく言いました。普通、覓の字を踏んで詩を作るなど、めったにありません。高難易度モードになります。これを「覓の難韻」と言います。

そこで、金笠はこう詩を作りました。「許多韻字何呼覓（他にも字は多いのに、よりによって覓だなんて）」。ふざけた内容ですが、一応、押韻したのは間違いないので、訓長は困りました。そして、それからも三回続けて、「覓」を韻として出しました。超スーパー難題です。すると、金笠も、こう続けました。

二回目「彼覓有難況此覓（あの難題をやっとできたのに、また覓だというのか）」

三回目「一夜宿寝懸於筧（今日の寝所の命運が筧の字にかかっているなんて）」

四回目「山村訓長但知筧（田舎の訓長って、筧の字しか知らないのだろうか）」

結果、とりあえず訓長の負けとなり、金笠は書堂の中で一泊できたそうです。

どことなく、ですけど、金笠の顔が、思い浮かばれます。「よりによって筧かよチキショー」「またかよ俺オワタ」「筧に寝床を握られてるヘル朝鮮、半地下パラサイト」「待てて、あんたその字しか知らんだろ」と、怒っている顔、しかし本当に怒っているというより、遊んでいるというか、皮肉っていると言うか、日本語でいうと「頓知《とんち》」がある、そんな顔が、目に見えるようです。私がアニメの見過ぎなだけかもしれませんが。

私が小学生だった頃は、さすがに文や詩の部分はハングルに変えたものでしたが、金笠は漫画や児童文学によく出てくる人物でした。個人的にも、彼はとても魅力的なキャラでした。朝鮮時代を背景にギャグ漫画などをよく描いていた、ユン・スンウン氏の作品に、特によく出ていたことを覚えています。

でも、金笠もまたハングルには見向きもせず、全ての作品を漢字で残した人だから、でしょうか。最近はあまり彼のことを耳にしなくなりました。

「描く」は、「書く」より、ずっと高文脈的な言語

さて、金笠の詩、韻を間違いなく踏んでいるのは事実ですが、押韻そのものを皮肉っているように見えるのは、私だけでしょうか。ちゃんと出来ない人が押韻を否定することとは違い、ちゃんと出来る力がありながら、皮肉を示しているのです。ひょっとして、彼は、決まった題に踊らされるのが、大嫌いだったのではないでしょうか。

文と詩と一緒くたにすることは野暮でしょうけど、「一万回死んで当然だ」の文は、それを書きながら「金炳淵」がどんな姿で、どんな顔をしていたのか、よく思い描くことが出来ません。でも、覓シリーズの方は、「金笠」の姿を、その顔を、大まかに頭の中で描くことができます。だから、「いまどきの」冗談っぽい文にもつい書き換えてみたくなるのではないでしょうか。

郷挙での文も、覓の詩も、どちらも感情が込められているはずなのに、前者は人為的というか、書いてあるそのままのイメージ以外は、思い描くことが容易ではありません。しかし、後者のほうは、いくつかのイメージが描けます。シリアスな時代劇にもできそうだし、ギャグ漫画みたいな絵柄でも表現できそうです。

昔の文をいまどきの文に書き換えるのは容易ではありません。もっとも難しい訳は、他国語を自国語に変えるものではありません。別の時代の言葉を、いまの時代の言葉に変えることです。いつの時代でも変わらない考え方だってありますが、時代が変われば、多くの考え方もまた変わって行きます。単語の意味も、言葉のニュアンスも、ある意味、時代が変われば、ともに変わって行きます。

古い文の場合、字や単語それぞれの意味は間違いなく訳せたつもりでも、結果的には本来の文の意味がまったく伝わらない、分かりづらい、読みづらい訳になることだってあります。だからといって、意訳するにも、どこからどこまでを意訳し、どこをどんな単語で代替すべきか、下手すればオリジナルの価値を損なうことにもなりかねないので、難しいところです。オリジナルのほうが単語など文章の構成要素を立派に揃えてある文であればあるほど、意訳は難しくなります。

でも、その文の意味合いをイメージして、同じイメージに合わせると、なんとかなります。「書かれた」文から、「描かれた」イメージを見出《みいだ》せれば、時代を超えて、共通のイメージを生み出すことができるからです。

もちろん、それは文ですから、絵として目に見えるわけではありません。目に見えるのは文字です。でも、その文が、「字」という絵の具で描こうとしたものを見出せば、時代を超え、同じ意味を感じ取ることも出来ます。時代だけでなく、東西も超えることができるでしょう。

「イタダキマス」で議論していたあの人たちも、実はアニメの絵、ご飯を食べる前に両手を合わせたりしながら言うイメージを大事にしたなら、「食べる」よりは「感謝」のイメージが見出せたかもしれません。

日本語は、本当に「描《か》く」がうまい言語です。日本語で作られた俳句などを読んでみると、それは書かれたものというより、明らかに「描《えが》かれた」ものです。「えがく」でなくても、「かく（書く）」も「かく（描く）」となり、ある種の絵を作り出します。こう思ってみるのは、いけないことでしょうか。

「『描く』は、『書く』より、ずっと高文脈的（ハイコンテクスト）な言語だ」

素盞雄《スサノオ》神社で出会った「松尾芭蕉」

二〇二〇年三月、東京都荒川区南千住《みなみせんじゅ》にある素盞雄《スサノオ》神社に行きました。毎年展示される、雛人形を見るためです。まだ新型コロナウイルスによる外出自粛の前でしたが、一応、結構「準備」は徹底したことを覚えています。

普通は、風邪でも引かないとマスクを使わないこともあって、随分《ずいぶん》前に買っておいたマスクにもまだ余裕がありました。電車を乗り換えて、南千住駅へ。駅のロータリーに、小柄なおじいさんの像がありました。松尾芭蕉《まつおばしょう》と書いてありましたが、どこかで見たことある名前だけど、誰だったかなと思いました。「芭蕉」の読み方が分からなかったので「聞いた」ではなく「見た」ことがある、です。

気にしないでそのまま十分くらい歩いて、珍しく道に迷わずに素盞雄神社に到着。須佐《スサ》之男《ノオ》様とお稲荷様（神社内に小さな稲荷神社があります）に参拝し、ちょうど桃の花が咲いていたのでパシャパシャと写真撮って、欧米人と思われるキレイな女性の方から「あ、これは桃の花ですね？　桜と梅の花とそっくり」と声をかけられ、私も見た目だけではよくわかりません～と急に仲良くなって楽しく会話したり、しばらく時間を忘れて楽しめました。あ、私が英語を使ったのではなく、女性の方が日本語でした。

神社の中にも松尾芭蕉さんのことがいろいろ書いてありましたが、俳句に関連した方なんだな、とは理解できました。参拝記念にいただいたシオリにも、先の像の方と、俳句が書いてありました。神社内には日本の俳句好きで有名な元ＥＵ大統領ヘルマン・ファン・

ロンパイ氏のサインがあるなど、俳句とは良き縁に恵まれた場所のようでした。後で分かったことですが、荒川区は俳句の街だそうです。

別の場所、別の絵なのに、なぜか存在する共通した「余韻」

どんどん興味が湧いてきたので、マホちゃん（スマホ）で「南千住 像 俳句」を検索してみて、まつおばしょう……と読み方が分かり、あ、そうか、と気が付きました。あれです、あれ。カエル。俳句にあまり知識はありませんが、あれなら分かります。

ふるいけや・カエル……じゃなかった、カワズとびこむ・みずのおと。もともと有名な俳句でもありますが、私がまだいまよりずっと日本語が下手だった頃、初めて覚えた俳句なので、分かります。

「蛙」の読み方がカエルではなくカワズという点以外は、一瞬で覚えました。なぜなら、一枚の絵を思い描くだけで、この俳句を全て覚えることが出来たからです。

カエル（カワズ）が何かしたのかというと、別に何でもなく、池に飛び込んだだけです。「もうすぐ春だから蛙が池に飛び込んだようですがそれが何か」で終わることもできます。いや、そもそも、蛙が本当にいたのかどうか。しかし、なぜでしょう。この俳句は、莫大と言ってもいいほどの余韻を残します。

作者が聞いた音だし、作者が蛙を「見た」のかどうかも不確かです。だから、作者を描く必要もないし、蛙を描く必要もありません。描いたほうがいいと思えば、そうすればいいだけです。素盞雄神社の中には、小さな川の形をした池がありました。桃の花が綺麗に咲いていて、その花と、ほんの少し池の水が視野に入る位置に立ち、そこから「水の音」を加えれば、本当は蛙が飛び込むような音はしないけど、あえて聞こえない音を加えれば、その場面だけでこの俳句の視覚化が成立します。

個人的にイチオシスポットでもある、静岡県富士宮《ふじのみや》市の湧玉池《わくたまいけ》を思い描いてみました。富士山からの綺麗な水が湧き出る池、周辺に咲いていた、ほんの少し緑色の葉っぱが出ていた桜の木々、池の近くにある真っ赤な橋、広い浅間大社《せんげんたいしゃ》の境内、川の水面《みなも》を流れる美しい桜の花びら、池の近くにある小さな神社。そこに蛙が飛び込む音を頭の中で流せば、それは別の絵ですが、また成立します。

別の場所、別の絵なのに、なぜか共通した余韻があります。きっと、共通した感覚が存在するのでしょう。和風だから、ではありません。この余韻は、東西を超えることも出来ました。

ディズニーランドで見つけた「古池や蛙飛びこむ水の音」

いつだったか、ディズニーランドのシンデレラ城の周辺にある池で、この俳句を思い出したことがあります。

ディズニーリゾートといえば楽しい乗り物、アトラクションがたくさんありますが、私は待ち時間なども好きではないし、アトラクションにはあまり乗りません。ディズニーシーのほうの、シンドバッドとアリエルのショーだけ、歌が気に入ったので、何度も利用しました。

私は、「公園」として楽しむのが好きです。入場料が高いのがたまに傷ですが、本当によく出来ている公園です。パレードが通りすぎ、誰もが楽しんでいる姿を見ると、なるほど、テーマパークというのは、テーマとパークの両方が優れていないといけないものだな、といつも気付かされます。

余談ですが、三脚は使えませんが、夜景もまた特筆ものです。ディズニーランドに行くと、たまにシンデレラ城の周りにかかっているいくつかの橋を渡るたび、城周辺の池を眺めたりします。

実は、ディズニーファンの方ならご存じでしょうけど、城の周辺には、城と池がよく見える橋がいくつもあって、ベンチも用意されています。とても大事なお土産《みやげ》を、そこで置き忘れてしまったことがありますが、「インフォメーションセンター」などディズニーランドのスタッフの皆さんが、見つけてくれたことがあります。あのときの皆さんの親切さが忘れられず、さらに気に入りの場所となりました。

素盞雄神社の中の池の前で、シンデレラ城を思い描いてみても、「古池や蛙飛びこむ水の音」が成立しました。子供の頃、蛙が実は王子だったという絵本を読んだからでしょうか。

日本人が考案したトイレのマーク・ピクトグラムが世界標準になった理由

日本語の「かく」は、「書く」とも「描く」ともします。慣用表現にもこの考え方は残っていて、「何を言っているのかよくわからない」「話が頭に入らない」などの感覚を、日本語では「話が『見えない』」と言います。

具体的に言わず、ある種の余韻をもってその背景のイメージを共有できる。この俳句の描き方は、日本語の「高文脈」的側面とも繋《つな》がっていることでしょう。

東西を超えた「描く」といえば、「ピクトグラム」も外すことができません。もともとはヨーロッパで生まれたものですが、ピクトグラムが世界的に有名になったのは、実は一九六四年の東京オリンピックがきっかけでした。

日刊スポーツ二〇一七年五月十四日の記事「ピクトグラムは一九六四年東京五輪で生まれた共通言語」によると、〈言葉が分からなくても大丈夫――。今や全世界で当たり前の「ピクトグラム」は昭和三九年の東京五輪で初めて全面導入された。現在のトイレマークはまさに、東京五輪をきっかけに世界標準になった。旧赤坂離宮（迎賓館）の地下で十一人のクリエーターが数カ月、手弁当だけで試行錯誤し生まれた……一番苦労したのがトイレ。男女それぞれの図柄が必要だった。「漢字も英語も分からない、どこの人が見ても分かるようにしてくれ。アフリカの人でもだぞ」というのが勝見勝さんの指示。原田維夫さんはトイプードルを描いた。男子便所には足を上げて用を足している図柄、女子便所は座っている図柄にした。他のメンバーも悩んだ。「とぐろを巻いたうんち」の絵も飛び出た。選ばれたのは「ズボンをはいた人・スカートをはいた人のシルエット」だった。よく見れば「ただの男女」だが「田中一光さんが描いたんです」と原田。今や世界共通でトイレと分かるピクトグラムが生まれた瞬間だった……〉、と。

オバマ大統領が絶賛した「世界を変えた文化の一つ」・絵文字（ＥＭＯＪＩ）

現実的な側面からして、日本語は韓国語に比べて敬語システムが素晴らしいという話をしましたが、「日本社会も変わってきたから、侮蔑のための新造語も多くなったのではないか？」という反論も可能でしょう。

それを全否定するつもりはありませんが、私は、「それでも、そうではない」と言い切れます。大体、「変わった」と「悪くなった」は同義語ではありません。見方の前提が、否定的すぎます。確かに、社会が変化し、特にネットを中心に、人々を傷つける表現も増えました。そういう新造語は、日本にもあります。しかし、それをずっと上回る肯定的な言葉も作られました。

私は、日本のネット用語の中でもっとも評価されるべき存在は、絵文字やアスキーアートではないか、と思っています。「アスキーアート」（ＡＡ）とは、キーボードで簡単に絵を書くもので、名前がある人気ＡＡもあります。私は「またお会いしましょう」という意味で（・∀・）ノ をブログによく使います。

特にスマホの普及で、絵文字（ＥＭＯＪＩ）は世界的に想像を絶する影響を与えました。

安倍総理が米国を訪問していた際、オバマ（当時）大統領が日本文化に敬意を示しながら、その代表の一つとしてEMOJIを取り出し、「世界を変えた文化の一つ」と評したことがあります。確かに、日本発のEMOJI文化が無かったら、いまのネットやSNSはずいぶん寂しくなっていることでしょう。

日本のネットにも、悪意のある言葉は作られましたが、絵文字の肯定的な力に比べると、その影響力は限られます。日本人特有の「『書（か）く』」は「『描（か）く』である」とする力あってこそのもの、と言えるでしょう。

これらは、絵でありながら、「言」葉です。人類が誕生してから、もっとも世界共通語に近い形で存在している「こと」の一つかもしれません。だから、私はどうしても日本のネット用語に関し、そう悪く言うことができません。私もまた、その日本のネットに、毎日ブログを書いている一人です。いつも、必要以上に乱暴な言葉を使わないよう、慎んでおります。

また、日本には、ネット用語を含め、「新造語」と呼ばれる類《たぐい》のものを、実生活で使う人はそういません。日本の皆さんからすると信じられないことでしょうけど、実はビジネス関連のメールなどにも、韓国人は絵文字や新造語などを頻繁に使います。ある程度有名になったネット用語は、当たり前のように新聞記事にも出てきます。こうしたルールが、韓国は日本に比べてかなり緩いようです。

具体的なマニュアルがあるわけではないですが、日本で原稿を書くようになってから、韓国では普通に使う言葉でも、編集の方から「この類の言葉は使わないのが礼儀」と指摘されたことがあります。ネット用語が「無い」わけではありません。ただ、「使い所」に慎重である、それもまた、日本語の敬の示し方の一つであるわけです。

理性を否定しないと神様に会えないのはおかしい

日本の神社には、鏡が置いてあります。これについては様々な意見があるようですが、太宰府天満宮のホームページ、「神職さんに聞きました」コーナーの「なぜ神社には鏡があるのですか？」という質問への返事として、このような内容が載っています。

〈……神社にお祀《まつ》りされる神様に、具体的な姿、形は無く、岩や木などに神様が依《よ》りつくと考えられてきました。鏡も神様が宿られる〝依代《よりしろ》〟の一つとして、神様の存在と威儀を示しています。また、鏡を通して神様と自分が向かい合い、誠実で清らかな心でお参りをする、そんな役割も鏡は担っているのです……〉

昔から、大勢の人々が、神様の声を聞くためにいろいろなことをしてきました。はるか昔には、神様のお告げを聞くための、司祭や巫女《みこ》など「神の伝令」が存在しました。ひどい場合は、いけない薬などを使い、人を極度の興奮状態、または錯乱状態にして、神様の言葉を言わせました。選ばれし人が、ある種の幻覚状態で見て聞いたものが、神様のお告げだと信じていたのです。

先に、魔法の話をしましたが、当時の儀式魔法を研究する人たちの中には、違法的な薬、または激しい性行為を介して、自分自身を通常とは違う精神状態、いわゆるトランス状態に落とそうとする人もいました。そうすることで、悪魔や天使と交信できるというのです。

彼らとは反対側の立場のはずの聖職者たちもまた、水以外は口にしない断食《だんじき》を続けながら祈るなど、極端な精神状態で、見えた、または聞こえてきたものを、神様または天使のお告げだと信じました。

断食の祈りで神様の声を聞いたという人は、私も何人か知っていますが、あまり否定的なもの、神秘主義的なものではありませんでした。だから全否定することはできないし、否定できるほどの権限や資格が、「元」キリスト教徒である私にあるわけでもありません。

でも、単に自己満足、すなわち「私ってば断食の祈りをする凄いキリスト教徒」と満足して、胃袋だけ壊す（※断食後に急に食べるとお腹を壊します）人たちも無数に見てきました。イエス・キリストもまた、「断食していることが自慢したくてわざと苦しい顔をして街を歩く人たちもいる」と皮肉ったことがあります。

ここだけの話、私も「断食の祈りで神様に接した」類の、そのようなそうでもないような、そんな体験が無いわけではありませんが、あまり人様にオススメできるものではありません。

なぜなら、自分を極端な状態に追い込むことは、言い換えれば自分の「理性」を弱めるという意味でもあります。理性は、自分で判断できる能力でもあります。神様の声というものが、「自分の判断力を否定することで得られるものだろうか」という強い疑問が、いまだ残っているからです。私の理性は、神様からの贈り物です。それを否定しないと神様に会えないなんて、おかしなことです。

「ありがとうございます」に足りなかったもの

神様の言葉は、神が目の前に現れて「聞くがいい人間よ」とするものではありません。人が人に言います。そのための言語です。神様が人間に言った言葉だから霊的な力があるわけではありません。人が人に言う言葉に、人が神様に言う言葉に、霊が宿ります。言った判断も、その責任も、すべて言った本人のものです。そして、その言葉が空間を作り、神様が降臨できる場所を作ります。

日本の神社が持つ開放的な雰囲気、日本人が他宗教に見せる寛大さの秘密も、そこにあるのでしょう。誰もが、宗教という「低文脈」を持つ前に、神という「高文脈」の概念を共有しているのです。日本語という言語とともに。

鏡に写っているのも、自分です。何を申し上げようが、鏡の中の自分の口が動きます。神が人間に話すのではありません。その声を聞くために人間が自分の判断力を捨てる必要はありません。人間が話します。私が、神様に話します。

鏡に映る自分は、「ありがとうございます」を申すのに相応しい顔だったのでしょうか。「言霊の幸せな国」の一員になりたいなら、その鏡に映っている自分の顔もまた、その一部でなければならないはずです。

極端な話、その鏡に映っている顔は、その人が神様に申し上げる内容の、いわば祈祷文の、「行間」ではないでしょうか。

ここまで考えるようになって、初めて、私は、自分の「ありがとうございます」には

「行間」が足りなかったことに、気付くことができました。私は、神様に対して、何かを「描く」べきでした。おかげさまで、幸せですという、ある絵文字を。

第八章

「物」にも「心が宿る」

「物」は、「何なのか（what）」、「事」は「どうなのか（how）」

「で、何だったんだよ」と思わせておいて、直後に宣伝が流れる番組ありますね。本書もここで、閑話休題、入ります。「物に心が宿るのか」という、とても興味深いテーマです。

実は、新型コロナウイルスが流行っていたとき、あまりにも同じ記事ばかりで、ブログに載せたものですが、思ったより評判がよく、コメント欄の議論も凄《すご》く建設的に広がってくれたので、完全版という形で、本書にも載せてみます。

あまりオカルトな感じにしたくなかったので「心」とは書きましたが、別に魂でも霊でも、命でも、構いません。

私は、「心が宿る」という概念自体に同意しています。個人的に、物に心が「宿る」というのは、実は「移る」ものではないかな、と思っています。自分自身の心が、コピーされ、「物」にも移るのではないか、と。

「込められた」と書いたほうが、もっといいでしょうか。神への「敬」と人への「敬」が同じ方向に行われているだけでなく、日本は物に対しても同じ「敬」を向けているようです。こうした話がしやすいのも、相応の感覚が社会に共有されているからでしょう。

個人的に、「物」は、「何なのか（what）」、すなわち不変のもの、生まれつきで変わらないもの、そんな感覚を持っています。「事」は「どうなのか（how）」です。変化し、良くも悪くもなれます。

『大辞林第三版』（三省堂）によると、事（こと）とは、〈「もの」が何らかの作用・機能・状態・関係などとして実現するありさまをいう語。「もの」が時間的に不変な実体のようにとらえられているのに対して、「こと」は生起・消滅する現象としてとらえられている〉、となっています。

実は、物に心が宿るという考えは、「言霊（事霊）」と同じ発想かもしれません。なにせ、石さえも成長するという話が多いですから、日本は。

「ロボットなのに心があるなんてありえない」

日本の古い記録、昔話、逸話、小説、アニメ、映画、様々な文や創作作品にて、「物」に心が宿るという設定が頻繁に登場します。付喪神《つくもがみ》のような話でなくても、例えば機械で出来たロボットに心があるという話など、様々な物語に、そんな設定が登場します。

でも、そんなことに、いちいち「具体的な設定」を作ったりはしません。なぜかというと、詳しく言わなくても、読者が、観客が、社会そのものが、ある程度は理解するからです。韓国には、「物にも心が宿る」という考えがありません。最初から無かったわけではありませんが、いまはほとんど残っていません。

私が大学生だった頃、日本の某ロボットアニメシリーズが韓国でも放送されました。日本では『勇者ロボ』シリーズと呼ばれています。そのシリーズは韓国でも結構いい時間帯に放送され、韓国メーカーによる独自のおもちゃが発売されたり、かなり人気でした。

秋夕《チュソク》（韓国のお盆）だったかソル（旧暦の元日）だったかは詳しく覚えていませんが、あの日は連休で、長男の兄の家に、家族が集まっていました。親がいなくなってから家族が集まることはそうなかったので、あの日は私の問題、卒業して大学に残るのか歯科医院を始めるのかも含めて、いろいろなことを話し合いました。

夕食前の時間帯になって、大人たちの話し合いも終わり、同じく集まっていた甥《おい》っ子たちが、テレビをつけてあの『勇者ロボ』シリーズを見ました。うろ覚えですが、主人公のロボットは警察で、どうやら前回のエピソードで悪者のロボットに破れ、大怪我をしたようです。そして、そのロボットのことで、「人間的な部分を消せばもっと強くなる」とする外国人の女の子と、「そんなことをしたら、ロボットの心や絆《きずな》も消えてしまうから絶対にダメだ」とする日本人の男の子（韓国では韓国人ということになっていましたが）が喧《けん》嘩《か》をしていました。

結果は、人間的な側面、仲間との絆、言わば心を残したほうが、実はずっと強いという展開になり、見事、勇者ロボが勝利します。日本のアニメにしては、珍しい内容でもないでしょう。

ですが、それを見ていた甥っ子の一人が、「ロボットなのに心があるなんてありえない」と言うのです。その子も、キリスト教会に通っていたから、でしょうか。私としては意外だったので、「意外だな、なんでそう思う?」と聞くと、甥っ子は、困った顔で、「だって、そうでしょう?」と。もう一人の子も、主人公が勝ったからどうでもいいけど、生きているわけではないから心があるのは変だ、というのです。あのときはまだ二人ともかわいかったので、困らせるのも悪いと思って、それ以上は聞きませんでした。でも、少なくとも子供がアニメを見ながら「機械だから心は無い」と思うのは、ちょっと切ないと思いました。

無人の特急列車に挨拶をさせた会社が謝罪

詳しく日付は覚えていませんが、それから随分《ずいぶん》時間が経って、ブログを書くようになって、こんなこともありました。人を乗せていないままプラットフォームに入る特急列車に、掃除担当の女性が挨拶《あいさつ》をしたことで、その列車会社が袋叩きにされたことがあります。多分、女性の方は、特急列車が来ると挨拶をしてきたので、ついそうしたのでしょう。

でも、それを見た誰かが写真を撮り、「客も乗っていないのに、『物』に挨拶させるひどい会社だ」としながらネットで問題を提起、ついには会社側が謝罪する結果となりました。自分のものには事物尊称を強要する社会の、もう一つの断面図でもあります。

この話を旧ブログで紹介しながらも、随分切なかったことを覚えています。旧ブログはいまは閉鎖済みですが、この話を覚えておられるブログ読者の方もいるかもしれません。でも、私もまた、なぜこれらが「切ない」ことなのかはよく分かりません。「だって、そうでしょう?」としか。

人間中心の「東学運動」の矛盾点

親が併合時代に小学校教育を受けたから、でしょうか。それとも、単に世代が違うだけなのか。私は子供の頃にも、物に心が宿るという考え方を否定的に捉えたことはありません。朝鮮半島にも「物」が化けて命を得るという考えはありました。主に、昔から伝わる昔話などによく出てきます。

特に、「木」を神聖なものとする考え、木に「シン（神）」が宿るという信仰は各地にありました。「神木信仰」といいます。木で作ったトーテムなどの造形物で村を守るという考えがあったので、その造形物を作る材料である木にも、霊が宿ると考えたのです。でも、いまは、そういう考え方をもっている人は、そういません。

このような考えがほぼ無くなった、またはタブーとされた理由は、いくつもあります。朝鮮時代、儒教、特に朱子学が国教となったこと。朱子学は、基本的に、自分の先祖への親孝行としての側面以外には、無神論的です。最初から貴賤《きせん》が決まっているのは人だけでなく物も同じであるため、そこに心が宿るなどは論外になります。既存の国家宗教だった仏教が弾圧されたのはもちろん、民間信仰の多くも、かなり迫害されました。

他にも、戦後のキリスト教の普及で、「人間だけが霊的な存在だ」とする考えが広まったこと。とんでもない金額を要求するなど、巫俗《ムソク》文化が暴走し、民間信仰のイメージが悪くなったこと。社会が物質万能主義に囚《とら》われすぎたこと。そして、本当は伝統宗教でもないいくつかの宗教が、伝統宗教を乗っ取ったことです。

繰り返しになりますが、いまの韓国に、「朝鮮半島独自の伝統宗教」と呼べるものは、ありません。信仰が、宗教と呼べるほどの進化が遂げられず、シャーマニズムの領域にとどまったせいです。

しかし、韓国、いや朝鮮半島の伝統宗教「とされている」宗教ならあります。一八九〇年代、主に朝鮮王朝への農民反乱の形で始まった、「東学運動」というものがありました。基本的に「人は天である」とし、人間は貴い存在だから、身分で人を差別するな、と主張しました。宇宙の「リ（理）」の根源たる天が人間の中に存在するから、人は一人一人が宇宙そのものと同じ存在だ、だから大事にしろ、と。これはいくつかの宗教に受け継がれており、共通して「人間中心」を強調し、その分、「物」に心が宿るという考えはありません。

一応、これらは人権思想のように見えますし、活かし方によってはいくらでも肯定的に活用できる思想です。しかし、残念ながら、実際には共産主義革命のようなものでした。人は天と言っても、宇宙そのものとも言える天が人の数だけ存在するわけではないので、「個人」としての天は存在できなくなるからです。

結局は、「ウリ（私たち）の教主」に各自の天を合わせる必要があります。実際、東学運動は人を天だとしながら、ウリでない官軍に対しては平気で武力を使いました。

なぜ朝鮮半島には「伝統宗教」が存在しないのか

これは、北朝鮮で言う「主体思想《チュチェ》」とも考え方が似ています。実は主体思想も、人間中心の社会を作るという考え方です。もちろん、実際には、独裁への名分作りに過ぎません。「誰もが自分自身の世界の主体（主人）であるが、人間は社会的な生き物だから、社会性を失うのは肉体の死よりも恐ろしいものだ。だから、人民の利益だけを考える朝鮮労働党の指導者、首領を自分の主体として受け入れるとき、誰もが真の主体になれる」という謎の思想です。簡単に言いますと、「人民は大事だけど大衆の一員であることを忘れてはならない。その大衆、人民全体こそが首領と同一のものである、すなわち首領中心主義が人間中心主義なのだ」、と。

人間中心社会と言いつつ、自分たちの考え方に反論する人間はすぐ処刑するところが、また、似ています。社会や世界という言葉を「天」に変えてみると、どことなく東学運動と似ているように見えます。

東学は、「学」とは言うけれど、実は教主もいたし、事実上の新興宗教でした。官軍によって討伐されたものの、その考えが、朝鮮末期に強くなった自民族優越主義と融合する形で、いくつかの宗教団体が生まれました。

例えば、一九一九年に起きた大規模抗日運動である「三一運動」の主導勢力の一つだった「天道教」などがそうです。それらの宗教は、さすがにいまの韓国で大勢の信徒を確保できているわけではありませんが、一部がまだ残っています。

実は「伝統」「固有」などの言葉を使うには、彼らの歴史はそう長くありませんし、既存の民俗信仰と接点があるわけでもありません。でも、彼らは朝鮮半島の伝統宗教を名乗りました。無理がある主張にもかかわらず、韓国では、彼らを、宗教としてさほど評価しない人でも、彼らを朝鮮半島の伝統宗教だと思っているのが一般的です。

なぜそれが一般的になったのか？　もともと、「伝統」という意味を、特定の史観に合わせて妥協してしまうからです。韓国人に「韓国の伝統人形ってある？」と聞くと、「あるよ」と答えながら、韓服など民俗衣装を着た姿で作られた人形を指します。空港などで売っている陶材の人形などです。

でも、それは伝統人形ではなく、伝統的に見えるように作られた人形、伝統「とされる」イメージで作られただけの人形です。本当は、朝鮮半島には、伝統人形などありません。呪術に使うものだけが、存在しました。

宗教も同じです。朝鮮民族が五千年前、一万年前から世界最大の帝国を作っていたとする自民族中心主義な歴史観を背景にした教理を主張する一部の宗教の「伝統的に見せる」部分を、本物の「伝統宗教」と勘違いしてしまうのです。

人形も宗教も、「優秀な朝鮮民族に伝統人形や伝統宗教が無いはずがない」という先入観が強すぎて、本当はそんなもの無かったと気付く人が少ないのも、また困ったものです。それに、社会雰囲気的に、そうした話を「伝統とは違う」と反論するのも、容易ではありません。

五千年の歴史というフレーズは、民族という聖域に関するもので、否定するには勇気が要《い》ります。韓国では、大統領の演説にも普通に出てきます。このような経緯で、「物にも霊、または心のような『何か』が宿る」という考えは、朝鮮半島からどんどん弱くなってしまいました。

「物に心が宿る」のはキリスト教的にはマズイ設定

一九六〇年代、日本のアニメ『鉄腕アトム』が米国でヒットできた理由の一つに、「元人間でもないのに心を持っている（ように見える）」点があります。米国にも「物に心が宿る」類の考え方が無かったわけではありませんが、キリスト教的に相性がよくなかったので、忌避される側面がありました。

キリスト教では、「神様と同じ姿で作られた」人間だけが他の存在と違い、神様との霊的な関係を維持できるとします。物に心が宿るとするのは、実はキリスト教的にはかなりマズイ設定です。

聖書では神様が「泥」で人間の形を作って「息」を吹き込んだとなっています。だから、人間が、自分で作った物に命や心を与えようとするのは、「私は神様だ」と主張するのと同じです。イスラム教国の一部では、いまでもママゴトなどの人形遊びを禁じています。神様のモノマネをしてはいけないという理由です。

一九六〇年代は、米国でのキリスト教の「縛り」が、随分弱くなった時期でもあります。いまと比べると、それはもう想像もできないほどキリスト教「色」が強く、日曜に教会に行って礼拝を捧げないだけで街の嫌われ者になる、そんな時代でしたが、それでもそれ以前よりは、縛りが弱くなりました。

国民が米国の対外政策に根本的な疑問を抱くようになったベトナム戦争、人種差別反対運動（公民権運動）など、米国社会の「保守性」が揺らぎました。もちろん、多くの世帯に普及していた「テレビ」もまた、その流れを加速させました。映画などカルチャー方面も、その流れから例外ではありませんでした。『十戒』や『ベン・ハー』など、キリスト教関連映画の圧倒的大ヒットが止まったのも、一九六〇年代からです。

いまでもアメリカの映画で「機械にも心がある」という話は、さすがにそう多くありませんが、一時よりは設定も多様化され、それと似たような趣旨を見出すことは十分できます。しかし、一九六〇年代までは、「人間以外のものが心を持つはずがない」という先入観が強すぎたため、人間以外の存在が、人間的な苦悩を示す物語は、狼男やフランケンシュタインのように、「元は人間だった」という設定が必要で、結末もあまりハッピーではありませんでした。神に背いた人たちの結末ですから。

米国では一部放送されなかった『鉄腕アトム』のメッセージ

日本よりスタートが早かったコミックの世界でもこの傾向は著しく、アメコミヒーローは肉体的な強さを魅力とする「人間または元人間または別世界の人間」が圧倒的に人気でした。アトムのように、完全に人間以外の存在で、小さく、子供のように見えるけど、精神的に凄く悩んでいて、それでも成長を続けていく、まるで心を持っているような姿を見せるロボットキャラは、少なくとも私が知っている限りは、欧米圏にはいませんでした。ヒーローとは違いますが、唯一の例外が一九四〇年のディズニー・アニメ『ピノキオ』です。でも、あれも公開された当時はあまり欧米社会で受け入れられず、大赤字で、ディズニー社は破産寸前まで追い込まれました。いまは世界各国で愛されているピノキオだけに、信じられない話です。

それに、米国では「機械は人間に逆らってはいけない」とする考えが強く、「ロボットが人間の言うことを聞かない」と「人間の世界が終わる」を同じ線上で考えます。ロボット関連の法律に従い人間のために戦いながらも、人間のやり方に疑問を抱くアトムの姿は、当時の米国のヒーローファンたちにとって、まさにカルチャー・ショックそのものでした。他にもアトムのメッセージ性はかなり強力で、アニメの一部のエピソードは、米国では放送されませんでした。

アトムのアニメが米国で放送された六年後に、同じ米国で、人間と区別できないほどのロボットに関する話を書いた『アンドロイドは電気羊の夢を見るか?』という本が発売されたのは、果たしてアトムと無関係なのでしょうか。『ブレードランナー』の原作のことです。

終章
日本の最大最強の「行間」

小泉八雲《こいずみやくも》の『日本人の微笑（The Japanese Smile）』

小泉八雲《こいずみやくも》という方をご存じでしょうか。本名はラフカディオ・ハーンで、一八五〇年にギリシャで生まれ、イギリスやフランスで教育を受け、育ちました。そして、『古事記』を読んだことがきっかけで、一八九〇年、来日。一八九五年に日本に帰化しました。それからは教師として、作家として、日本国内での著述活動だけでなく、日本の文化を海外に知らせる活動を続けました。

偉人レベルの小泉八雲さんと、ただの異人（変人？）レベルの私を比べるわけにはいきませんが、一応、人生的に私の大先輩ということになります。

この方が残された数々の作品は、いまでもいくつかの本にまとめられ、長らく愛読されていますが、その中に「日本人の微笑」（『新編日本の面影』所収）という一編があります。実は、すべての鍵がここにありました。前に読んだことあるのに、なぜ気が付かなかったのか。

簡略に内容を紹介しますと、当時、小泉氏の周辺にいたイギリス人たちは、日本人の微笑をちゃんと理解できず、「とても失礼なもの」だと思っていたようです。どう考えても笑みを浮かべるような状況ではないのに、微笑んでいる。それはあまりにも不真面目ではないか、と。夫が死んで、仕事を休むしかなかった女性が、雇用主のイギリス人に、火葬後の遺骨が入ったツボを見せながら「私の夫です」と言いながら描いた微笑。不当な理由でイギリス人雇用主に殴られながら、老いた日本人サムライが見せた微笑。

小泉氏は、それはイギリス人が思っているようなものではないとし、逆に、「日本のイギリス化」が進むことで、日本人があの素晴らしい笑みを浮かべなくなってしまうのではないか、このまま日本人特有の微笑が無くなってしまうのではないか、と懸念していました。

ちなみに、サムライはそれでも微笑をやめず、イギリス人の雇用主は「私を侮辱する気か」とさらにサムライに暴力を振るいました。後になって、イギリス人はそのサムライに謝罪しようとしましたが、サムライはもう死んでいました。殴られた屈辱は死にあたいするものだったけれど、ただ、前にお金を貸してくれた主の「恩」があるため、サムライは主には微笑を見せながら耐え、後で自分自身の命を断ったのです。

「いらっしゃいませ」の声とともに感じられる日本特有の「空間」

小泉氏は、イギリス人はそんな日本人の微笑をちゃんと理解できていないし、そのような微笑をすることも無いとします。日本人も、いわゆる先進国とされる国の教育を受けた人であればあるほど、その微笑を無くしつつある、と。そして、いつか日本は過去を振り返ってみる日が来るだろうとしながら、このように書き残しています。

〈……その時、日本が驚嘆するものは多いだろうし、後悔もまた多いはずだ。おそらく、その中でもっとも驚嘆するものは、古い神々の温顔ではないだろうか。その微笑こそが、かつての日本人の微笑に他ならないからだ〉

まだ観光客だった私は、食堂など店に入ったとき、店員さんの「いらっしゃいませ」という声とともに感じられる、日本特有の「空間」が好きでした。もちろんいまも好きですが、あのときは本当に格別でした。人為的でもなく、極めて自然な形で感じられる、心地の良い空間。日本も韓国も、メチャ高いレストランに入ったときの感覚はそこそこ似ている場合もあります。でも、普通に利用する店だと、韓国でそんな心地の良い空間を経験したことは、ほとんどありませんでした。

随分《ずいぶん》と失礼なことだと百も承知ですが、それでもビシッと書きますと、日本でも外国人の店員さんたちが増えるようになって、この感覚が薄くなりました。どれだけ日本語が下手な店員でも、「いらっしゃいませ」は言えます。でも、なぜでしょう。相応の空間を感じることは出来ませんでした。その理由は何でしょうか。気のせい、ただの違和感、許されない偏見、どれだったかは分かりません。「偏見による差別だ」という意見も受け入れます。そうだったかもしれません。ただ、そう感じたのは事実だから仕方ありません。別の意見ならいくらでもOKですが、嘘だけは言うのも言われるのもイヤです。私は、そう感じました。神に誓って嘘ではありません。

しかし、外国人店員の全員がそうだったわけではありません。それに、日本語がうまい人なのかどうかも、関係ありません。片言の日本語しか出来ない人でも、その心地よい空間を作ってくれる人は、確かにいました。これもまた、経験による話です。

それは、微笑が「身についているのかどうか」による差でした。人為的に作った微笑のことではありません。そんな顔面筋トレで急造されたものではなく、いつの間にか身についていた、自然な微笑のことです。

余談ですが、この「感覚」がもっとも分かりやすいのが、横浜にある中華街です。最近でもよく同じことを感じます。インテリアや料理の味に関係なく、店の方の日本語の腕に関係なく、心地の良い店とそうでない店があります。同じ「いらっしゃいませ」なのに、店によって全然違う空間が作られます。

「ありがとうございます」に欠かせなかったものとは

その微笑が、私にはありませんでした。言霊が人を幸せにするものなら、「ありがとうございます」を言う人の顔に、微笑が無いなんて、ありえません。何かを忘れた気にもなるはずです。だからといって怒っている顔でもありませんが、なんというか、心地の良いものではありませんでした。つい頭頂あたりに力を入れてしまいます。

前から思っていましたが、なかなか直らない私の悪い癖の一つです。大して使うこともない筋肉なのに、なぜ頭頂周りにこんなに力を入れているのか。そこから力を抜けば、肩あたりまでスーッとリラックス出来るのに、まだまだ力の入れすぎです。

日本語の「行間」、街の「行間」、日本の「行間」。神国の「行間」。それを共有することは、自分自身が誰かの「行間」になるという意味でもありましょう。私も、それに「参加」すべきでした。言い換えれば、難しいこと考える前に、自分の顔から見るべきでした。

このことに気づいてからは、スーパーで買い物するときや店で店員と話すときだけでも、自分の顔を意識するようになりました。わざとやって出来ることでもないでしょうけど、ほんの少し意識するようにしたところで、バチは当たらないはず。

出来れば、大先輩の小泉八雲さんに、「いまにはいまの微笑があるから、大丈夫です」と報告したい気持ちです。それは、確かに、昔と比べると微笑の形も少しは変わっているかもしれません。物理的に殴られるのを耐えながら微笑んでから自決する「美」は、いまの日本では社会的に認められなくなりましたが、それは、法律や思想などの変化による結果で、社会全体からしては望ましい変化だとも言えるでしょう。とはいえ、中身まで変わったわけではなく、いまの時代にはいまの誇りがあり、いまの守り方と耐え方があり、いまの微笑があります。

微笑は、「言霊の幸せな国」の一部

微笑は、「言霊の幸せな国」の一部として、いまも健在です。教育がどう変わろうと、制度がどう変わろうと、日本そのものが先進国になっても、日本の微笑は、日本語に守られてきた日本という国の「文化の傾向」として、いまも健在です。制度が変わったとしても、そう簡単には変わりません。

一三〇年前のギリシャ生まれの人も、いまの韓国生まれの人も、同じものを見つけることが出来ました。きっと、一三〇年後の他の国から日本に来た人も、同じものを見つけることになるでしょう。

神々の温顔も同じです。人々が失っていない限り、神々の微笑も無くなったりしません。微笑は時代を超えます。「描く」ものですから。訳《やく》も必要ないでしょう。そう、微笑こそが、この神国の言語の最大最強の「行間」なのです。いまの日本でも、大勢の人たちが、その良さを共有しています。十分な微笑が残っています。だから、大丈夫です。これからも、さざれ石が岩になるまで、無くなることはないでしょう。

私も、もう少し鏡を意識してみます。「ありがとうございます」に相応しいものが、そこに映っているかどうかを。その鏡こそ、私が日本人になる準備が出来ているかどうか、自分なりの基準の一つにもなってくれることでしょう。

ひょっとすると、今回の足りないもの騒ぎは、「貴方《あなた》を私の氏神に思ってもいいでしょうか」という私の心願に、神様がヒントをくれたのかもしれません。

「なぜ、それを他人に聞く?」、と。

新書版のための新章

相手を「尊重」する日本、「マウント合戦」する韓国

「相手の話を最後まで聞く」日本人

ここからは、新書版の追記となります。締め切りをうっかり忘れてエライことになりましたが、最新の案件も少し含め、自分自身に対する戒めの意味も含めた内容であります。

私が日本で、日本人の皆さんといろいろ話してみて感心させられた中の一つが、「相手の話を最後まで聞く」ことです。

この期《ご》に及んで何を隠そう、読者の皆さんの中にも同じ経験をお持ちの方もいるかもしれませんが、韓国人は相手の話を最後まで聞こうとしません。「はい」か「いいえ」までは聞きますが、それから「なぜ私は『はい（または、いいえ）』と思うのか」と相手（韓国人）に言おうとすると、相手は私の話を切って、自分の話を始めます。そして、その話は、やたらと長いのです。

韓国にいると意外と自覚しなかったりしますが、会話って妙ですね。相手が私の話を切ろうとすると、私は意地でも少しでも長く話そうとし、相手と「マウント取り」が始まります。少しでも長く話せたほうが勝ち。緊急回避（相手が切ってくるタイミングで早口で話し、聞こえなかったふりをする）、無敵時間（露骨に切られても無視して話し続ける）

など、アクションゲームのようになります。

でも、何の勝負で、そもそも勝つ必要があるのかどうか分からない、そんな妙な状態になります。その結果はどうなるのか、ご存じですか。

気がつけば、私と相手、二人が同時に喋《しゃべ》っています。ゲームで言えば何かのバグ、プログラムエラーで終わります。これは、別に会社などで上司と口喧嘩《げんか》するシチュエーション設定ではありません。親しい人同士でも、結構こんなことがあります。また、こんな会話になっても、誰も謝ったりしないし、謝る必要もありません。よくあることですから。

相手への「尊重」があるか無いか

でも、日本に来てからは、相手が私の話を最後まで聞いてくれるし、しかも、大して長話もしてないのに「私ばかり話して申し訳ありません」「話が長過ぎました。引き止めてしまって申し訳ございません」と相手（日本人）から謝ってきます。

だから、私もつい「長く話すと失礼だ。短く話そう、短く」と、どうすれば短く話せるのか、言い換えれば「どうすれば話さずに済むのか」で悩んでしまいます。韓国にいたときのマウント合戦に比べると、真逆の現象です。

旅先でのことですから先のアクションゲームっぽい話とは状況が違いますが、最近のことだと、日光市の私の気に入りの場所、「神橋《しんきょう》」でも同じことがありました。

韓国を旅行したことがある日本人の方とお会いしました。ホテルにガスマスクが用意されていたそうですから、結構前のことでしょう。韓国でアワビの粥《かゆ》を召し上がった話など、私も楽しく聞いていましたが、お別れのときに、その方が急に謝るのですよ。「長話してしまいました」と。そんなこと全然ないですけど。美しい景色の中、ほのぼのした旅の思い出です。

なぜこんな「差」があるのか。なぜ片方は少しでも長く話そうとするし、もう片方は短くしようとするのか。しかも、これは、同じ人（私）の経験談です。なんでだろうと、いろいろ考えてみました。

真っ先に思いつくのは、漢字を使わなくなったことです。最初からハングルだけで出来ている言語体系なら問題なかったでしょうけど、「意味」を表現するための漢字を廃止し、「音」だけを残すから、意味を説明するために長く話すしかなかったのではないか、そんな考察でした。これについては、今でも「何かの影響を及ぼしただろう」とは思っていますが、だからといって、主な要因だと言い切る自信もありません。長くなるのはありますが、長い文章は無条件でダメだというわけでもないし、漢字圏の人が素晴らしい外国語文章を書くことだってありますから。

他にもいくつか「もしかして」と考察はしてみましたが、個人的に、どれもハズレでした。正解がどんなものかは知る由《よし》もありませんが、個人的にたどり着いた結論は、「相手を尊重しないから」です。

言い換えれば、相手への尊重があるか、無いかの差です。先のアクションゲーム（のような会話）は、まるで勝ち負けで喧嘩をしているようなイメージですから、ここでいう「尊重」は、勝ち負けにこだわらないという意味でもあります。

また、これから書く内容の脈絡に合わせると、「感謝」にしてもいいでしょう。なかなかありえない（有り難い）と思う心。それが、ありがとうの源。「私は配慮を受けて当然だ」と思えば思うほど、世の中のありがとうは一つずつ消えてなくなります。だからくだらないことで勝ち負けにこだわったりするわけです。

尊重や感謝の無い、ただ長いだけの文章、または会話。それがいかに窮屈で、くだらないものなのか。私が主に読んでいる韓国語文章は、もちろん書籍や論文なども読みますが、基本的には「記事」、特にコラム系のものです。毎日、ブログを書いていますから。

データや現状だけ黙々と伝える記事ももちろんありますが、ある種の自己主張のある記事、コラムや社説系の記事を読んでいると、なぜか「長い」と感じてしまいます。長くても説得力があり、読み手を最後まで惹《ひ》きつける文章は、いくらでもあります。でも、この場合はそうではありません。読んでいると、その趣旨に同意するか、しないかとはまた別に、妙な拒否感があって、なかなか内容が受け入れられず、読み終わる頃には何の話だったか忘れてしまいます。

そう、先の「私の話を切るな」と同じに思えます。

韓国の「訓戒」とは、上の人が下の人にすること

最近読んだものからサンプルを一つ紹介しますと、以下、二〇二一年六月二十六日、『東亜日報』の論説委員が書いた記事です。さすがに全文を載せる必要は無いと思いますので抜粋しますと、全般的には「日本に対する古い観点を捨てないと、日本には勝てない」という趣旨の文章ですが、申砬《シンリプ》という朝鮮時代の武将の話で始まります。

申さんが活躍して王の注目を浴びるようになった、という話になって、次は彼が日本軍の鉄砲に破れたこと、日本が鉄砲を改造したこと、朝鮮の当時の安保体制が甘すぎたこと、

などなどを書いてから、やっと本題の「日韓関係」の話が出てきます。それから韓国政府の日本関連政策がうまくいかないでいるのは、「日本に関する情報が足りないからだ」として終わります。

本題はコラム全体の約二割だけです。その二割は、韓国政府及び与党を「叱る」内容ですが、いざ「反日思想」の根本的な部分、そして日韓基本条約（請求権協定など）による韓国の国際法違反状態については、何も指摘していません。

この記事（コラム）だけの問題ではありません。長い、しかも妙な拒否感がある、失礼だと分かっていながら、途中で「切り」たくなる。先のマウント取り会話のように、「切るな」と言われたから切りたくなる抵抗感。さらにもうちょっと詳しく言うと、そう、叱られる気分。私の上司でもない人が、一方的に上司を演じながら、私を「訓戒《フンギェ》」している（教育している）、そんな不愉快な感覚になってしまいます。

訓戒は、基本的に上の人が下の人に行います。下の人は、上の人の話を切ってはいけません。それは下剋上《げこくじょう》です。だから韓国側の文章には「戒める」ニュアンスで書かれたものが多く、そのために文章や段落、または記事の字数を引き伸ばします。誰かを戒める文章を書く側が、その戒めの相手、または読者そのものを、「教育している」構図にするためです。これは、意図的というよりは、社会的心理が反映されたある種の処世術でもありましょう。そう書かないと、相手からバカにされる、という。

二〇一九年、韓国で二十五万部以上の大ヒット（韓国は日本より市場が小さいので、日本での百万部クラスのヒットに匹敵します）を記録した『あなたが正しい』という本には、「親が子に言うのは九十九・九％が子を見下しているから」「たとえ親でも、あなたの境界を破ってくるなら、切り捨ててしまえ」という衝撃的な内容が、心理カウンセリングとして書いてあります。職場の人からの忠告も、どうせ見下されるだけだから、受けるな、そして忠告なんかするな、というのです。

私はこんな主張にはどうしても同意できませんが、まわりの全ての会話がそうなっているから、そもそも言うな、聞くなというとんでもないカウンセリングが成立するわけです。

朝鮮半島では、昔から「下のものを教育させる」という意味で、「訓」の字を使ってきました。まだ学校というものが出来る前には、読み書きなどを教える人を「訓長《フンジャン》」と言いました。朝鮮の王「世宗《セジョン》」がハングルを作ったときにも、最初は「訓民正音《フンミンジョンウム》」と言いました。

その目的は「漢字が分からない愚民たちは言いたいことがあっても書くことができないので、哀れに思い新しい字を作った」となっています。この考えが、「訓」の認識として今でも残っていると言えるでしょう。

もう少し面白い事例だと、テコンVがあります。皆さん、韓国の劇場用ロボットアニメ『ロボットテコンV（ブイ）』というものをご存じでしょうか。四十代、五十代ぐらいの韓国人なら誰もが知っている、国民的なヒットを飛ばしたアニメ映画です。そのロボットのパイロットの名前が、金訓《キムフン》です。悪党に、正義を「分からせて」やるという意味です。

会話で「マウント合戦」が起きる韓国

最近も、社会で一般的に上の立場の人が下の人を叱ることを、訓戒《フンギェ》するとよく言います。逆に、下のものが何か意見を出すと、「お前に何の権利があって私を訓戒するのだ」と、喧嘩になりがちです。「訓」は、いろいろ知っている人が、知らない人に教えるもの、教えてあげるものだからです。

今まで本書で述べてきた、韓国社会の言語体系においての「上下関係」への異常な執着、そして「儒教思想」の影響などは、単にそれぞれの単語を変えただけでなく、文章の構造、簡単に言えば長さそのものをも、変えてしまったわけです。

私は、この「訓を演じる書き方・言い方」こそが、韓国人の話や文章を長く、そして迂《う》回的《かい》なもの（教育的なニュアンスを演出するため、やたら昔話や古文からの引用が多く、最近はなんと映画からの引用も多い）にした大きな要因だと思っています。

そう、実際に立場が上だから訓戒するのではありません。訓戒もどきを演じることで、自分を「上」にしたいわけです。第四章で述べた「事物尊待」などと、方向性は真逆ですが、根は同じだとも言えるでしょう。

しかし、そんな会話、または文章には、一つ、決定的に欠けてしまうものがあります。それは、相手を尊重する心、本章的には「ありがとう」たる気持ちです。相手を戒めることにこだわりすぎで、余裕を無くしてしまったのです。

日常で出会う人に感謝する心があるなら、会話でマウント合戦が起きたりするでしょうか。読者にある程度の感謝を込めているなら、訓戒っぽい論調の記事が書けましょうか。日韓関係を良くしたいという願いが本物ならば、書くべきはアドバイスであり、政府への訓戒ではないでしょう。

そもそも、韓国側の対日本観に決定的に欠けているのが、この感謝の気持ちです。民族がどうとかプライドがどうとかの話は別にしてでも、併合のおかげで、日本の先人たちのおかげで朝鮮が近代化できたという最小限の感謝さえあれば、日韓関係が今のようにはならなかったでしょう。

「ワクチン支援」という言葉に執着する韓国

これより、二つの記事を紹介します。

どちらも、「本当に必要としていたもの」を、それまで「友人」だと信じていた国から、支援してもらったときの反応です。一つは韓国の記事、もう一つは台湾の記事です。ただ、その前に、まずは当時の状況説明が必要かと思います。説明が長くて嫌だという趣旨を書いておいて恐縮ですが、ここからはあえて脱線して、当時の韓国と台湾がどういう状況だったのかを綴《つづ》ってみます。

二〇二一年六月のことです。今もそうですが、当時は特に新型コロナワクチン接種が大きな話題でした。ワクチンはちゃんと確保できていたものの、実際の接種数では動きが鈍かった日本。しかし、いざ「やるぞ」と決まってからは凄《すご》いスピードで接種が進み、六月末には、不可能だと言われていた一日百万回を超え、百数十万回の接種も珍しくない毎日でした。また、台湾及びアジア各国にワクチンを支援するなど、いわゆる「ワクチン外交」でも日本の存在感を表していました。

ほぼ同じ頃、五月あたり。韓国ではワクチン不足が大きな問題になっていました。一応、数は確保出来たものの、他国より契約が遅かったからか、それとも公式発表内容の信憑性《しんぴょう》に何か問題があるのか、実際に韓国に入ってくる物量が、スケジュール通りには行きませんでした。ワクチン在庫がある日には数十万回、無い日には数百回しか接種できない、不安定な日が続きました。

しかも、とりあえず一次接種の回数を増やすためにワクチンを使ってしまい、二次接種に使う分のワクチンが足りなくなるという、ありえない騒ぎまで起きました。四月、五月あたりまで韓国で主に使っていたワクチンは、アストラゼネカ社のワクチンで、一次接種をしてから遅くても十二週後には二次接種を受けなければなりません。だから、一次接種の際には同じ人が二次接種を受けることができるよう、ある程度ワクチンの在庫を確保しておく必要があります。しかし、とりあえず一次接種に全部回してしまったため、二次接種に使うワクチンが足りなくなってしまったわけです。

当然、国民の不安も大きくなりました。韓国が「ワクチン支援」という言葉に執着を見せるようになったのも、ちょうど同じ頃です。もちろん、支援を「する」のではなく、支援を「受ける」という意味です。

保守右派が米国にした呆《あき》れる要請

どれだけ執着を見せたのかというと、なんと、保守右派政党の人が米国を訪れ、自ら「右派が自治体長を務める地域だけでも支援してくれ」と要請するほどでした。

〈黄教安元《ファンギョアン》・未来統合党（※現在の「国民の力」党）代表は五月十一日、米国に新型コロナウイルス感染症ワクチン一千万回接種分の支援を要請し、米国側から最大限の努力を注ぐという回答を受けた。米国を訪問中の黄元代表はこの日、特派員懇談会と報道資料を通じて、訪米期間、政界、財界、各種機関などに、韓米同盟が血盟であることからも、ワクチン一千万回分を韓国に支援してくれと要請したと話した。また、「国民の力」所属の人が地方自治体長であるソウル、釜山《プサン》、済州《チェジュ》だけでも、堅固たる韓米同盟の象徴という意味合いで、ワクチンを支援してくれるよう要請したという……〉

（聯合ニュース／二〇二一年五月十二日）

韓国では、左派（リベラル派）よりは右派（保守派）が、米国側と親しい関係にあります。しかし、もし米国が支援を決めたとしても、いくら何でも米国が「〇〇自治体にだけ使え」と条件を出して支援するわけにはいかないでしょう。それは韓国側が韓国内部で決める問題で、支援してくれた米国を困らせるようなことがあってはなりません。韓国の政治家たちが「国」の範囲をどう決めているのか、よくわかるくだりでもありました。

さらに、ここまで言ったにもかかわらず、韓国ではさほど大きな騒ぎになりませんでした。右派が右派の支援だけを要請するのは、そう不思議じゃないと思われたのでしょう。もし日本で、例えば自民党の元代表が米国に行って、「自民党推薦の自治体長のところだけ、ワクチンを支援してくれ」と頼んだなら、日本ではどんな反応が起きるでしょうか。

「日本に勝った！」とK防疫に心酔

そんなとき、五月二十一日、米国で韓米首脳会談が決まりました。韓国では、時は来た！と言わんばかりに、「これでワクチン支援がもらえる」という世論が、大いに盛り上がりました。韓国政府がワクチン・スワップ（もとのスワップの意味とは違い、まず米国からワクチンを借りて、あとで韓国が米国に同量のワクチンを返すことを言います）を要請したとか、首脳会談の際に大規模ワクチン契約が用意されているとか、米国が韓国を最優先支援対象にしたとか、いろいろな報道で盛り上がり、野党側の政治家は文在寅《ムンジェイン》大統領に「ワクチンが確保できなかったら帰ってこない覚悟で挑んでほしい」とまで言いました。

こんなに韓国社会が盛り上がったのは、そうですね、多くの理由があるでしょう。他の国と同様、単に防疫に疲れていたとか、感染が怖いとか、そういう理由ももちろんあったでしょう。でも、個人的には、やはり「K防疫」のプライドを指摘したいところです。

拙著『反日異常事態』（扶桑社新書）という本の帯にも大きく書かれているフレーズですが、大手ケーブルテレビで、「韓国のコロナ検査キットがほしければ、日本はまず『日本人でごめんなさい』というべきです」という過激な発言まで出てきました。そして、「報道でそんな人種嫌悪的な表現を使ってはならない」と指摘する人は、誰一人いませんでした。このフレーズが全てを物語っていると言ってもいいでしょう。

とにかく日本のことを見下す、いわゆる「卑日」が、韓国社会に溢《あふ》れました。本書で書いてあるとおり、とにかく人を不愉快にする言葉が、単に日本に向けられたという理由だけで認められ、横行しました。

韓国の「反日思想」は、一九〇〇年を前後した朝鮮、大韓帝国の自民族優越主義と繋《つな》がっています。日本の併合に反対する人たちが、「私たちは優秀な民族だ」という、民族（血縁）単位の選民思想を広げたわけです。でも、それからもずっと、韓国が日本に対して「我が民族は優秀だ」と言える分野は数少なく、理想と現実のギャップは韓国人のアイデンティティーに混乱をもたらしています。

防疫で日本に勝った。これは韓国社会に、想像以上の喜びを与えました。二〇二〇年四月の総選挙で現与党が圧勝できたのも、この「K防疫」による日本への勝利が、大きな影響力を発揮しました。

それから、韓国の防疫システムは、「住民登録番号（全国民ID）」を利用し、人の私生活を侵害しすぎるという欧米メディアからの批判もありましたが、そんなものは誰も気にしませんでした。

大韓医師協会が、二〇二〇年の死亡率が二〇一九年より六％前後上昇し、二万人が超過死亡したとし、その理由として医療システムの麻痺、すなわちコロナ感染者への対応のためコロナ以外の一般患者の処置が不十分だったせいで、全体の死亡者が例年より大幅に増えたとデータを発表しました（二〇二〇年十二月二十三日、医師協会公式発表）が、そんなこともまた、誰も気にしませんでした。

ただ、K防疫は素晴らしいとし、韓国政府もワクチン確保よりはK防疫の広報にお金を使いました。誰もが、韓国の「国格（国の品格、地位）」が高くなったと、その流れに酔い痴れました。ちなみに、まだ二〇二一年のデータは出ていませんが、二〇二〇年の「コロナ禍」の中、全体死亡者数（新型コロナだけでなく、それ以外の原因での死亡まで全て含めた数）が例年より減少した国は、日本を含めて九カ国だけです。

韓国は「早くても」、日本は「早ければ」で物議

ですが、二〇二一年になってから、さすがに韓国でも防疫疲れが蔓延《まんえん》し、ワクチン確保、そしてワクチン接種において韓国が大幅に出遅れたことが分かり、そこから「文政府がワクチン確保に失敗した」という批判が出るようになりました。

防疫というのは、国民にいつまでも我慢してもらうためにやるものではありません。ワクチン、そして治療剤があってこそ、防疫は次の段階に進むことができます。特に、韓国が散々バカにしてきた日本が、特に効果が高いと予想されていたファイザーなどｍＲＮＡ方式のワクチンを多量確保したというニュースが流れ、韓国社会では動揺が広がりました。

当時、どれぐらい韓国側がこの件に敏感に反応したのか、いわゆる「早ければ早くても」騒ぎによく現れています。

二〇二〇年十二月、日本でも韓国でもまだワクチン接種が始まっていなかった頃。『朝鮮日報』が、韓国の最初のワクチン接種の時期については、「早くても二〇二一年の二月

から三月に始まるのではないか」という記事を載せました。これが十二月九日の記事です。ですが、それから九日後の十二月十八日、同じく『朝鮮日報』が、日本のワクチン接種について「早ければ二〇二一年の三月から」という記事を載せました。

このことで、韓国のネットユーザーたちが『朝鮮日報』を激しく非難しました。なぜ韓国は「早くても」で、日本は「早ければ」なのか、というのです。

ネットだけならともかく、与党である「共に民主党」のキム・ソンジュ国会保健福祉委員会幹事が「韓国は『早くても』三月で、日本は『早ければ』三月だなんて。大韓民国に住んでいるのに祖国に恨みがあるのだろうか。これだから『土着倭寇《どちゃくわこう》（親日な態度を示す人たちへの侮蔑《ぶべつ》語）』と言われるわけだ」と、当時のキム・テニョン院内代表（日本でいう院内総務）まで「『朝鮮日報』のこんな書き方を、多くの国民が懸念している。単なるミスだとは思えない」と話しました。

二〇二〇年十二月二十一日付の『ハンギョレ新聞』は、「ワクチンも日韓戦か」という見出しでこの件を報じています。

韓国が勝手に騒ぐ「ワクチン日韓戦」

二〇二一年になってワクチン接種が始まってからも、韓国の関心事は日本を超えることでした。二〇二一年二月二十七日『韓国経済』は、防疫担当者の話などを引用し、「週単位で見ると、日本は一日に一万二千人余りが接種し、韓国は今日から一週間で十八万人程度が接種する予定」「韓国の新型コロナワクチン接種が日本に比べて九日も遅れたもののあと一週間ぐらいで、接種数で日本を追い越すことができる」と報道しました。

日本の皆さんからすると、「この人たち、ウイルスと戦わないでなんで日本と戦ってるの」と不思議に思われるでしょう。もちろんそれから、日本は春から夏にかけてワクチン接種を進め、菅義偉総理が出した「一日百万回」を簡単に超え、一日に百万、百数十万回を超える接種を続けました。

韓国の接種回数も、日本ほどではないにせよ、ピーク時には一日に数十万回の接種を達成しており、決してバカにされるようなものではありません。ただ、ワクチンの受給にどうしても問題がありました。

一次接種を基準にすると、三月二十一日には、なんと接種回数がゼロでした。ワクチンが完全に底をつき、人力も場所もあったのに、接種ができなかったのです。余談ですが、それからも韓国ではワクチン受給の不安定が続き、七月四日にも接種者ゼロの日がありました。

他にも、数十万人規模で予約を取り消したり、国内での臨床研究結果も出ていない交差接種（一次と二次で別の種類のワクチンを接種すること）を百万人以上に実施したり、イスラエルから保管期限が一カ月も残っていないファイザー社のワクチンを借りてきたり、ワクチン受給は安定しませんでした。

話を戻しますと、そんな中、韓米首脳会談が決まったわけです。自然と、国民の関心はワクチン確保に集中されました。野党側が米国側に一千万回を要請したから、大統領も一千万回は軽いだろう。米国政府の支援以外にも某ワクチン会社と大規模契約があるという。様々な期待混じりの憶測が溢れました。日米首脳会談の際に、菅総理がファイザー社のCEOとの電話会談でさらに多量のワクチンを確保したから、文大統領もそれぐらいできるだろう。ただ、それだけが論拠でした。

米韓首脳会談で「ワクチン」のおねだり

ですが、これはワクチンだけでなく社会の全てがそうでしょうけど、「もらう」人にその人なりの悩みがあれば、「支援する」人にもまたその人なりの悩みがあるものです。

日本も米国も二〇二一年六月あたりからはＣＯＶＡＸ（ワクチンを共同購入し資金的に余裕の無い国に供給するための機構）にワクチンや資金を支援したり、特定の国家に直接ワクチンを支援したりしましたが、まだ五月時点では、米国も「これから支援する」と発表するだけの、準備期間でした。

ワクチン接種率が上がり、一時に比べると米国内の新型コロナ禍もずいぶん落ち着いたものの、まだまだ問題は残っていたし、もしあるかもしれない「ブースターショット（かならず必要ではないが、念のための三次接種）」のためにもワクチンを蓄える必要がありました。

だからこそ、他国にワクチンを支援するといっても、ある程度は基準が必要です。その基準の中でも特に重要なのは、該当国家が緊急な事態なのか（感染が急激に広がっていて今すぐワクチンが不足しているのか）、そして、ワクチンを購入できるほどの余裕はあるのかです。

韓国の場合、ワクチンを買う資金が無かったわけでもないし、そこまで感染者数が多くないし（人口比で、日本より少し少なかったり、多かったりします）、なにより、韓国政府自ら「K防疫」を世界中に宣伝していたため、米国としては韓国にワクチンを支援する理由はありませんでした。

ただ、韓国側が「ワクチン大乱（ワクチン干ばつ）」「血盟」という表現まで使いながら米国側にワクチンを要求したこと、そして、韓米首脳会談を前後して韓国企業などが米国に四兆円近くの投資を約束したこともあり、同盟国として無視するわけにもいきませんでした。

よって、バイデン大統領は米韓首脳会談のあと、韓国に「米軍と密接に関わることもあり、韓国軍に五十五万人分のワクチンを支援する」と発表しました。最終的には、百十万人分のヤンセン社のワクチンが支援されました。他のワクチンだと五十五万人分が百十万回分になりますが、ヤンセンワクチンは一回の接種で済むため、百十万人分になったと思われます。

韓国側はこれを大きな外交成果として発表しましたが、韓国では、「わずか五十五万人分、しかも軍だけか」という失望が広がりました。ネットや一部のネットメディアでは、日米首脳会談のときに菅総理がファイザー社のCEOと電話会談をして五千万回分のファイザーワクチンを追加で確保したことを取り上げ、「偉そうにしているけど、文大統領より菅総理のほうがずっと有能だ」という不満が盛り上がりました。

大統領を支持する「ムンパ（文派）」と呼ばれるネットユーザーたち、一部の大手マスコミはもちろん、大統領府の首席秘書官まで前に出て、火消しに走りました。「そんなことはない。文大統領の外交成果は大きい」と。中には、「お金で買った五千万回分より、支援でもらった五十五万人分にもっと意義がある」という、無理のある主張もありました。

米国のワクチン供給数は、台湾が韓国を上回る

しかも、その頃から、日本はアストラゼネカ社のワクチンを、他国に支援するようになりました。結果的にはベトナム、インドネシア、マレーシアなど数カ国にワクチンを直接提供し、COVAXにも資金やワクチンを支援しましたが、特に話題になったのは、台湾への支援です。

韓国の世論は、何があってもこの流れを「評価下げ」しようとしました。日本が台湾に

ワクチンを支援したとき、韓国では圧倒的に「自分たちが使わないものだから台湾にやっただけ」「ワクチン接種が進まなくて保管期限が来たから台湾に捨てたようなもの」という意見が溢れました。そのアストラゼネカが韓国ではメインのワクチンであること、日本はアストラゼネカ接種を中断していた（ワクチン接種の進行度とは関係ない）ことなど、事実から目をそらす意見でした。

しかし、それらの主張は、所詮《しょせん》、「なぜ私たちには誰も支援してくれないのか」という不満の表れ。苦しい決断で百十万人分のワクチンを支援してくれた米国に対しても、この不満が向けられました。米国もまた日本に続いて台湾にワクチンを供給することとなり、その数は韓国よりも多かったからです。

米国が支援した保管期限六カ月のヤンセンワクチン

そもそも、首脳会談で「ワクチンくれ」と言うこと自体がおかしいでしょう。本来なら、ワクチンを作る企業側と話すべき内容です。米国からワクチン支援を受けたことを、外交成果として自慢するという「方向性」は明らかにおかしいです。そもそも、ワクチンをちゃんと確保できなかっただけでも、大統領にとって自慢できる事案ではありません。

しかし、同盟国が軍のためにワクチンを支援してくれたのは、間違いなく有り難いことです。これは、「数」の問題ではありません。

米国が韓国に支援したヤンセンワクチンについて、ネットでは「韓国は台湾より『下』」という不満が溢れました。「韓国に送られてきたのは、保管期限が六月末までのものがほとんどだ」という報道もありました（例えば、『朝鮮日報』六月九日／「米国が支援したワクチンほとんどが保管期限二十三日」）。韓国で「日本が台湾に支援したワクチンは在庫処分だ！」とする主張が見られるようになってから、わずか数日後のことです。「在庫処分」という意味は確かにあったかもしれませんが、だからといって接種計画に問題が発生したわけではありません（期限前に接種できる）。同じく、「大々的に宣伝した外交成果としてはおかしくないか」という趣旨なら十分理解できますが、この流れは「ほら、やはり在庫処分。支援ではなく、韓国に捨てたのだ」という見苦しいものになりました。

余談ですが、ワクチン受給が安定しなかった韓国政府は、七月七日、イスラエルとワクチン・スワップを行い、七十万回分を借りることになりました。それもまた、保管期限が三週間ぐらいしか残ってないものでした。

交差接種を百数十万人規模で行う「転落」の韓国

それからも、「米国でヤンセンワクチンはまったく人気が無い」というニュースが、大手を中心に広がりました（例えば、聯合ニュース、六月十九日／「米国で人気のないヤンセンワクチン」）。

特に六月二十日『時事ジャーナル』の「台湾が米中からワクチンをもらう立場に転落した」という見出しの記事は、まるで台湾へのワクチン支援に反対している中国の記事のようでした。

「台湾のT防疫（こんな言葉があるのかどうかもわかりませんが）は崩れた」「日本とアメリカの支援について、台湾政府は感謝をした。しかし、台湾人の感情は全く違う。フォックスコンに勤務する会社員リー・ウェイ（仮名）は、筆者に『防疫模範国とされていた台湾が、このように他の国のワクチン外交戦場に転落してしまったなんて、プライドが傷つく』と吐露した」、という内容です。

この「台湾人は感謝していない」は、中国側の記事が共通して書いている内容でもあります。

なんとも、見苦しい、「近寄りたくない」主義主張です。要は、どこをどう探して見ても、これらの文章に「ありがとう」はありません。「もっともらいたい」を願っていながらも、他国に支援する日米を褒《ほ》める内容は全然ありません。そして、その書き方は、「あのね、保管期限が近いものを支援するとダメだろうが」「ワクチン外交で影響力を強化したいだけだろう。そんなの善行ではないだろうが」とする、訓戒、「訓」そのものでした。「検査キットが欲しければ、まず日本人でごめんなさいと言え」の基準は、どこに行ってしまったのでしょうか。

韓国側の日本関連記事を読んでいると、まるで「日本を『教育』しようとしている」というニュアンスを受けることが頻繁《ひんぱん》にあります。その「教育」が、ここでいう「訓」と同じものです。「分からせる」とでも言いましょうか。

先進国がどうとか言いながら、COVAXに支援を要請し、しかもその支援が遅れたせいで臨床研究結果も出ていない交差接種を百数十万人規模で行うという「転落」の、韓国。どうしても「ありがとう」が言えないなら、せめて、「支援する国」に文句は言わないでほしいものですが、それすらも叶いそうにありません。

台湾から米国への感謝の言葉

それでは、このへんで、二つ目の記事を紹介しましょう。台湾の英語版新聞、『TAIPEI TIMES』（『台北時報』／六月八日）の記事です。日米からのワクチン支援について、「それは数の問題ではない」とする内容です。当時、台湾が置かれた状況と、感謝の気持ちが、よく表れています。

〈日曜日の朝、台湾はインド太平洋地域を訪問中に立ち寄った三人の米国上院議員を歓迎しました。三人は台湾に約三時間しか滞在しませんでしたが、彼らは台湾がパンデミックから抜け出すための新型コロナワクチン七十五万本を、米国が寄付することを自ら発表し、凄い存在感を発揮しました。日曜日に行われた中央防疫センターの記者会見では、予想より少ないと言われたりもしましたが、これは実は大きな寄付であり、台湾の最大の支援者の一人からの友情の証《あかし》でもあります……（※中略）……米国は、アジア地域のために約七百万人分のワクチンを確保しており、台湾はその十％以上を受け取ったことになります。これは、他の国の人口と比較しても、確実に大きな数字となります。しかも、それ以上に重要なことは、米国の三人の上院議員が自ら台湾に飛んできて、寄付を発表した点です。

他の国に、こんなことは出来ないでしょう。

先週、アストラゼネカ社のワクチン百二十四万回分を、惜しみなく台湾に提供してくれた日本とともに、米国の寄付は紛《まぎ》れもなく友情の証であり、ダックワース氏（※上院議員の一人）が台湾を訪問した際に語ったように、「民主主義国家がどうやってお互いを助け合うか、その新しい事例」を台湾の人々に提供してくれました。

このような海外の友人たちからの具体的な援助は、中国がワクチン取引を通じて台湾を分断させせようと企んでいる中で、台湾の人たちに特に重要なことを示してくれます。感染初期には、政府が中国製ワクチンの輸入を拒否したことで、不満を焚《た》きつけようとする動きがありました。BBCすらもこの動きに加勢し、五月二十八日のヘッドラインでは、「台湾はウイルスと政治の間で選択しなければならない」とし、まるで、他にはワクチンが存在しないかのように、公衆の健康と中国との間での二択を要求しました。

もし、政府が中国製ワクチンを拒否し続け、しかも友人と称される人たちからほとんど何の援助も無かったなら、どうなっていたか、考えてみてください。「台湾は生存か吸収かの二者択一しかできない」「友人たちは困ったときに助けに来てくれない」などの嘘《うそ》の物語が支持を得るようになり、それは分裂の企みに力を与えたことでしょう。

このような状況から、米国の専門家の間では、数十年にわたって続いた台湾に対する「戦略的曖昧《あいまい》さ」を捨てて、明確な約束をするべきだという声が高まっています。米国戦略国際問題研究所のシニア・アソシエイトで、台湾のアメリカンインスティテュート副所長でもあるロバート・ワン（王曉岷）氏が今月のフォーリン・サービス・ジャーナルで述べたように、中国の目的は、米国の台湾に約束したことに対して疑念を煽《あお》り、孤立させ、士気を下げることにあります。「台湾の人々が、米国の約束が相対的に弱まっていると感じれば、多くの人々が中国の圧力に屈し、自分たちの価値観や利益ではなく、恐怖心を反映した両岸の妥協点を求めるようになるだろう」とワン氏は書いています。

このため、米国は、台湾の防衛を約束したり、予定されている民主主義サミットに台湾を招待したり、貿易協定に署名したり、ワクチンを寄付したりするなどの強力な動きを通じて、台湾人に「あなた方を支持しています」と明らかにする責任を果たしています。大々的に発表された今回の寄付は、単なる「量が少ない」ではなく、「台湾の運命は台湾が自ら決められる」と台湾人に確信させてくれる、決意の表れであるのです〉

文章力の差

いかがでしょうか。ブログでこの記事を紹介しながら、私はつい「文章力が違う」と書いてしまいました。文章力にもいろいろありますが、主義主張の前に、私が「人類共通の価値観であってほしい」と願う基本の中の基本、支援を受けたから「ありがとう」と言う、それをしっかりすること。だからこそ、切りたい、切るべきだと思わせないこと。それも文章力ではないでしょうか。せめて、読者、またはこうして文章が書ける自分の境遇に対する感謝だけでも込めた文章と、そうでない文章の差、それは文章の力の差です。

たまに、実に「たまに」ですが、私の文章から「なんだかんだで韓国への愛を感じる」というコメントをいただくことがあります。さあ。私は、これといって自覚が無く、書きたいことを書いているだけですので、あまり深くは考えていません。もちろん、「そんなに祖国が嫌いですか」と指摘されることもありますが、それもまた、深くは気にしません。好きだから好きに書く、嫌いだから嫌いに書くのではなく、書きたいように書いて、それが読み手にとって好きに見えるなら好きでいいし、嫌いに見えるなら嫌いで構いません。「私が」好きか嫌いかの問題ですから、私が書きたいように書いたのが、答えです。それでもまだ、韓国、詳しくは日韓関係において、自分自身、多少の未練を捨てきれずにいるのかな、そう思うことはあります。

保守右派系の次期大統領候補・尹錫悦《ユンソクリョル》氏

韓国、保守右派系の次期大統領候補に、尹錫悦《ユンソクリョル》という人がいます。検察総長出身で、常に「法治」を強調してきた人で、文在寅政権とは正しく犬猿の仲でした。日韓関係もそうですが、韓国社会には、口では正義や道徳を強調する人が多いわりには、「法治」という概念が二の次にされる、良からぬ風潮があります。

韓国の大統領候補の中で法治をここまでキーワードにする人は珍しかったし、また、文政権から、特に検察の人事権限を持っている法務部長官から明らかな嫌がらせを受けながらも持論を曲げない強さを見せていた人なので、個人的に、この尹錫悦氏には好感が持てました。

その尹氏が、二〇二一年六月二十九日、大統領選挙に立候補宣言を行いました。ですが、その場所が、尹奉吉《ユンボンギル》記念館でした。尹奉吉は一九三二年、上海の公園で開かれた天皇誕生日記念式に爆弾を投げつけ、民間人を含めた多数の死傷者を出した人物です。韓国では英雄となっており、大きな記念館もあります。ただ、これは明らかに違法なもの、言わばテロでした。法治を大事にする検察総長出身大統領候補でも、やはりこれが限界か、と思わざるを得ませんでした。

初めてこの話を聞いたときには、偉人とされている尹奉吉と特別な関係、例えば孫とか、そんな関係にあるのかな、と思いました。でも、同じ尹氏である以外に、接点は無いとのことです。

韓国では、少しでも「反日思想」に逆らう発言をすると、その人は「親日派」とされ、社会的地位を失うことになります。するとその人は、「私は親日ではない」とアピールするために、不自然なほど独立精神や、臨時政府史観（併合は違法支配だったとする歴史観）などを強調したりします。尹氏もたぶん、そういう点を意識しただけでしょう……と極めて肯定的に考えることもできなくはありません。

ですが、その記念館を借りた経緯もまた、怪しいものでして。尹奉吉記念館は、政治利用を禁止するために、出馬宣言などで記念館を使うことは記念館側の規則で禁止されています。これは、尹前総長が、他の人の名義で、他の目的で申し込んで、記念館を借りました（貸館許可を得た）。一時、「法律をちゃんと守ることこそが必要だ」としながら文大統領と対立していた尹前総長なだけに、これは実に嘆《なげ》かわしいやり方です。

それに、出馬の弁で日韓関係にも触れましたが、主な内容は、「韓日関係では、過去の歴史は過去のことで、私たちの子孫が歴史を正確に記憶するために真相を明確にしなければならない問題があるが、未来は私たちの次の世代のために実用的に協力しなければならない関係だと思う」「この政府になって壊れた慰安婦問題、強制徴用問題、韓日間安保協力や経済貿易問題、このような懸案を、全部一つのテーブルに置いて、『グランドバーゲン（※一括交渉）』をする方法で、問題にアプローチしなければならない」、などです。

韓国側のマスコミは、この件を、「（安保面を強調していることから）安保面で日本に協力してやれば、日本は歴史問題で譲る」という取り引きのことだと分析しています。日韓問題の本質は、「法治」、すなわち国家間の条約を守らなかった韓国側の国際法違反であるにもかかわらず、その部分には一切触れませんでした。

韓国側は何か長引きそうな案件があると、すぐに「一括妥結」を言い出します。米朝関係においても、日韓関係においても、韓国がすぐに「首脳会談で一括解決するしかない」と主張します。「王」が決めればそれでなんとかなると思っている、前近代的な考え方がまだ残っているのでしょうか。

　この点もまた、尹氏は出馬表明で終始一貫、文在寅政府を「訓戒」しましたが、結局は文大統領と同じことしか言わなかったわけです。ちなみに、グランドバーゲンは李明博《イミョンバク》当時大統領が二〇〇九年九月二十二日、米国ニューヨークで北朝鮮の核問題を解決する方法として提案したものですが、米国及び関連国が「聞いてない」とほとんど反応せず、それから耳にすることもありませんでした。

最小限度の尊重の示し方

　この件をブログに書いて、その日の夜、なんだかぼーっとしている自分がいて、「あれ？　ひょっとして、まだ期待する部分があったのか？」と、自分で自分にちょっと驚きでした。指導者が変わるだけでは、韓国の「反日」は変わりません。分かっていたはずですが。

　重要なのは、ありのまま、書きたい（言いたい）まま、好みを言うなら好みを、嫌味を言うなら嫌味を言うことです。嫌なものがあるということは、何かを嫌ってでも、好きでいたい別の何かを持っているからでありましょう。

　唯一、許せないのは、好みのふりをしながら嫌味を言う人たちです。残念ながら、一定数、どこにもいます。例えば、明らかに日本の悪口を叩きながら「これが日本のためだ」と言い張る人たちを、私は「嫌になるほど」見てきました。少なくとも、そういう言い方、及び書き方だけはしたくありません。

嫌なものは「あらやだー」と書きたいし、好きなものは「好きだ」と書きたい。もちろん、それは内容のことで、単語、特に、どういう理由であろうと差別用語とされるものなどは、避けたい。それだけは気をつけています。

日本が好きで日本人になるなら分かりますが、韓国が嫌いだから日本人になる、そんな見苦しい人間で生きるつもりはありません。それが、日本に対しても韓国に対しても、私なりの最小限の尊重の示し方です。

帰化の条件（滞在歴五年以上）まで、あと少しです。繰り返しになりますが自戒も含めて、フン（踏ん）張りたいと思います。「ありがとう」にも、微笑みにも。外ではいつもマスクしていますけど、だからこそ。

デザイン：小栗山雄司
写真提供：Heritage Image／アフロ

シンシアリー (SincereLEE)

1970年代、韓国生まれ、韓国育ちの生粋の韓国人。

歯科医院を休業し、2017年春より日本へ移住。母から日韓併合時代に学んだ日本語を教えられ、子供のころから日本の雑誌やアニメで日本語に親しんできた。また、日本の地上波放送のテレビを録画したビデオなどから日本の姿を知り、日本の雑誌や書籍からも、韓国で敵視している日本はどこにも存在しないことを知る。

アメリカの行政学者アレイン・アイルランドが1926年に発表した「The New Korea」に書かれた、韓国が声高に叫ぶ「人類史上最悪の 植民地支配」とはおよそかけ離れた日韓併合の真実を世に知らしめるために始めた、韓国の反日思想への皮肉を綴った日記「シンシアリーのブログ」は1日10万PVを超え、日本人に愛読されている。

初めての著書『韓国人による恥韓論』、第2弾『韓国人による沈韓論』、第3弾『韓国人が暴く黒韓史』、第4弾『韓国人による震韓論』、第5弾『韓国人による嘘韓論』、第6弾『韓国人による北韓論』、第7弾『韓国人による末韓論』、第8弾『韓国人による罪韓論』、第9弾『朝 鮮半島統一後に日本に起こること』、第10弾『「徴用工」の悪心』、第11弾『文在寅政権の末路』、第12弾『「反日」異常事態』、第13弾『恥韓の根源』、『なぜ日本の「ご飯」は美味しいのか』『人を楽にしてくれる国・日本』『なぜ韓国人は借りたお金を返さないのか』(扶桑社新書)など、著書は69万部超のベストセラーとなる。

扶桑社新書 402

日本語の行間
韓国人による日韓比較論

発行日 2021年9月1日 初版第1刷発行

著　　者………シンシアリー
発 行 者………秋尾 弘史
発 行 所………株式会社 扶桑社
〒105-8070
東京都港区芝浦1-1-1 浜松町ビルディング
電話 03-6368-8870(編集)
03-6368-8891(郵便室)
www.fusosha.co.jp

DTP制作………株式会社 Office SASAI
印刷・製本………中央精版印刷 株式会社

Printed in Japan　ISBN 978-4-594-08785-2